COLECCION GUADARRAMA
DE CRITICA Y ENSAYO

Ex libris
J. Mauleón
L. A. Junio 18, 1968

COLECCION GUADARRAMA

DE CRITICA Y ENSAYO

11

ESTUDIOS
SOBRE
POESIA ESPAÑOLA CONTEMPORANEA

LUIS CERNUDA

ESTUDIOS SOBRE POESIA ESPAÑOLA CONTEMPORANEA

EDICIONES GUADARRAMA, S. L.
MADRID-BOGOTA

Impreso en España por
Talleres Gráficos de EDICIONES CASTILLA, S. A. - Madrid

AVISO AL LECTOR

Deseo que el lector presunto de este libro tenga en cuenta lo siguiente:

1.º *Como no es un manual, prescinde de plantear ciertas cuestiones históricas anejas al desarrollo de nuestra poesía. Por eso, aunque en ocasiones fuera necesario aludirlas, ha sido de soslayo; con lo cual no sólo resulte acaso más amena la lectura, en lo posible, sino se evita repetir al lector cosas que pueden serle familiares de antemano.*

2.º *Que tampoco trata de ser un estudio sobre la poesía, toda la poesía española contemporánea, sino de una parte de ella. Sin embargo, dicha parte es la que parece hoy, según la opinión de los entendidos confrontada con la personal del autor, más viva en nuestra poesía o más eficaz en la ayuda a su desarrollo. Así, pues, no se le reproche que en sus páginas falten referencias a la obra de A o B, X o Z; queda implícito el por qué.*

3.º *Es insuficiente en extremo la atención dedicada a la poesía que hoy se escribe en España, aunque dicha insuficiencia la expliquen los motivos aludidos en el capítulo último. Los poetas aparecidos en España después de la guerra civil, cualquiera que sea su mérito evidente, están aún en trance de realizarse, y resultaría prematuro pronunciarse acerca de ellos.*

4.º *Que no le ha sido fácil al autor prescindir de un escrúpulo arraigado: abstenerse de opinar, por escrito y en público, acerca de la obra de un escritor contemporáneo, cuando éste sea conocido suyo y no resulte favorable lo que sobre él deba decir. Pero puesto en el trance, ha tratado en lo posible de compaginar la veracidad de su parecer con la consideración de la susceptibilidad ajena.*

Y basta de aclaraciones.

México, 1955.

I
ORIGENES

OBSERVACIONES PRELIMINARES

Es conveniente al comenzar dejar aclaradas ciertas cuestiones, teóricas unas, históricas otras, que han de servirnos de referencia a lo largo de los siguientes estudios. En cuanto a las primeras, prescinciendo de definir qué sea poesía y cuál sea su función, ya que en el caso mejor sólo conseguiríamos dar un punto de vista personal, es decir, un aspecto de ella, comencemos por decir que el poeta ve, o si se prefiere, experimenta y expresa lo que ve o experimenta; ahora, para expresar lo que ve o experimenta, usa de un instrumento, el lenguaje, que no le es exclusivo, sino que comparte su uso con los hombres todos. Pero ese medio expresivo que es el lenguaje, del cual se sirve un individuo para decir, por ejemplo: «Buenas tardes, don Francisco. ¿Cómo está la familia?», sirve también al poeta para decir, por ejemplo:

La dolencia de amor no se cura
sino con la presencia y la figura.

El instrumento utilizado es el mismo en ambos casos, pero en el primer ejemplo su uso es utilitario y su propósito comunicación, y en el segundo gratuito y su propósito expresión; sin embargo, el lenguaje utilitario se consume en el acto de usarse y sobre él, como en un palimpsesto, sólo queda visible el lenguaje que es expresión. No insistamos, para complicar menos la cuestión, en otra diferencia que separa el lenguaje literario en prosa del lenguaje poético; ocasión habrá más adelante de hacer alguna referencia a ella. Basta ahora con esa distinción anterior entre lenguaje hablado, de una parte, y lenguaje escrito, de otra.

Aunque lenguaje hablado y lenguaje escrito se orienten así en direcciones tan distintas, es evidente que entre ambos hay o debe haber una relación y que esa relación pasa por fases diferentes según el mayor o menor acercamiento que ocurra entre uno y otro. No creo que a ningún historiador literario le haya preocupado esclarecer los términos de dicha relación, fundamental en la evolución de los estilos literarios. Procede esta evolución en línea ininterrumpida, como generalmente se cree, o podemos compararla a un movimiento de péndulo, que una vez llegado a un extremo regresa al inicial. Si la posibilidad primera es aceptada comunmente acaso sea por contagio de la creencia en el progreso; es decir, que para el historiador literario al uso la literatura camina a través de los siglos hacia su perfección, y los optimistas, que son los más, ponen dicha perfección en el momento presente, en el momento que viven, ya corregidos los «defectos» y «errores» comunes entre los escritores del pasado. Pero en la evolución de los estilos la segunda posibilidad, la del movimiento pendular, parece la más verosímil. No es posible aquí, dada la importancia del problema así planteado, que sólo indirectamente atañe a nuestro propósito, sino alguna observación de soslayo.

Si tenemos en cuenta la evolución de nuestros estilos poéticos es posible avanzar esto: 1) que hay momentos cuando lenguaje hablado y lenguaje escrito coinciden, como ocurre en las *Coplas* de Manrique; 2) otros cuando lenguaje hablado y lenguaje escrito comienzan a divergir, como ocurre en Garcilaso; y 3) otros, por último, cuando lenguaje hablado y lenguaje escrito se oponen, como ocurre en Góngora. Una vez llegado el estilo a ese extremo, de oposición entre lengua hablada y lengua escrita, regresa al extremo primero, tratando de que ambas coincidan. La evolución estilística de nuestra poesía clásica, durante los siglos XVI y XVII, marca el avance de uno a otro punto extremo, y acaso sea con Herrera donde el desequilibrio entre ambas formas de lenguaje se afirme claramente y hasta se codifique. Porque no otra cosa son las *Anotaciones a Garcilaso* de Fernando de Herrera sino un código del buen decir poético; hasta en Garcilaso, maestro del lenguaje más sutil y penetrante que haya en nuestra lírica (sin que por eso perdiera de vista la realidad de las cosas) halla Herrera palabras y expresiones «vulgares» a reprochar. Góngora hace de la lengua escrita algo tan espléndido y deslumbrante como una joya. Y siguiendo esta curva de evolución en el estilo poético llegamos a Calderón, donde ya es visible su decadencia.

Los cultos llegaron a poder decirlo todo en verso, pero al mismo tiempo debían «ennoblecerlo», renunciando a la expresión sencilla y directa. Así Calderón puede mencionar la pistola, pero a condición de que,

Aspid de metal, escupirá
El veneno penetrante
De dos balas cuyo fuego
Será escándalo del aire.

No es posible ir más allá en el desequilibrio entre lenguaje hablado y lenguaje escrito; y entre tanto la poesía había ido quedando relegada a lugar secundario dentro del verso: lo importante es el bien decir. En la correspondencia entre Goethe y Schiller, éste último expone en una de sus cartas algo que tiene en cuestiones de poética valor equivalente al que tiene una ley científica en otros aspectos del saber humano. Dice: «Atareado en mi trabajo actual hice una observación que acaso hayáis hecho ya. Parece que una parte del interés poético reside en el antagonismo entre tema y representación. Si el tema es muy importante poéticamente, entonces una representación sucinta y una sencillez de expresión rayana en lo común, pueden irle muy bien; en tanto que, por otro lado, un tema no poético y vulgar (como es con frecuencia necesario en una obra extensa) adquiere dignidad poética por medio de una forma de lenguaje rica y animada». Aplíquense esas palabras como corolario a lo dicho sobre la evolución estilística de nuestra poesía durante los siglos XVI y XVII, y veremos su justeza.

Pero el cambio de expresión poética, el cambio de estilo, no depende del capricho del poeta, sino del carácter de la época en que le haya tocado vivir. El poeta no es, como generalmente se cree, criatura inefable que vive en las nubes (el nefelibata de que hablaba Darío), sino todo lo contrario; el hombre que acaso esté en contacto más íntimo con la realidad circundante. La realidad cambia, la sociedad se transforma, ya de modo gradual, ya de modo brusco y revolucionario, y el poeta, consciente de dichas transformaciones, debe hallar expresión adecuada para comunicar en sus versos su visión diferente del mundo.

En toda expresión poética, en toda obra literaria y artística, se combinan dos elementos contradictorios: tradición y novedad. El poeta que sólo se atuviese a la tradición podría crear una obra que de momento sedujese a sus contemporáneos, pero que no resistiría al paso del tiempo; el poeta que sólo se atuviese a la novedad podría igualmente crear una obra, por caprichosa y errática que fuese, que tampoco dejaría en ciertas circunstancias de atraer a sus contemporáneos, aunque tampoco resistiría al paso del tiempo. Es necesario que el poeta, haciendo suya la tradición, vivificándola en él mismo, la modifique según la experiencia que le depara su propio existir, en el cual entra la novedad, y así se combinan ambos elementos. Hay épocas en que el elemento tradicional es más fuerte que la novedad, y son épocas académicas; hay otras en que la novedad es más fuerte que la tradición, y son épocas modernistas. Pero sólo por la vivificación de la tradición al contacto de la novedad, ambas en proporción justa, pueden surgir obras que sobrevivan a su época.

Hemos llegado aquí al término de las cuestiones teóricas que nos proponíamos tratar en este capítulo, y pasamos ahora a las históricas. Así, pues, la literatura no camina hacia su perfección, sino que en cada etapa de su existencia la alcanza o cree haberla alcanzado, según el punto de vista, el criterio particular que entonces la anima. La tarea del historiador y del crítico es colocarse en aquel punto de vista particular (cosa nada fácil, ya que ambos tienen otro punto de vista propio, que es el de su tiempo) y decidir, de una parte, si la época que comentan realizó lo que pretendía; y de otra, si lo que pretendía valía la pena de realizarse. Esta segunda decisión la toman inevitablemente el historiador y el crítico según el criterio actual de su tiempo, y si coinciden ambos puntos de vista, el del pasado y el del presente, se dice que la literatura de la época en cuestión está viva, y por remota que sea del presente aparece en cierto modo como contemporánea; si no coinciden, está muerta y resulta extraña.

Con respecto a los poetas del pasado tenemos afinidades y desacuerdos, una vez que con ellos hemos realizado lo que desde Nietzsche acá se llama una revisión de valores. Así, por ejemplo, los Argensola y Quintana no existen para nosotros, cuando hace apenas cincuenta años eran poetas estimados; en cambio, Góngora hace poco tiempo y San Juan de la Cruz más recientemente aún. son más estimados por nosotros de lo que lo fueron hace dos generaciones. Por lo tanto hay un sentido lato en que puede entenderse la contemporaneidad, y que Garcilaso resulte más propiamente contemporáneo nuestro (al menos así lo es para quien esto escribe) que cualquier poeta de hoy. Pero también hay un sentido estricto, según el cual la contemporaneidad está determinada por la contigüidad histórica; ahora, esta contigüidad histórica, que es condición de la contemporaneidad, no basta sola: es necesario también que el poeta, para ser contemporáneo, perciba su tiempo y lo exprese adecuadamente. Todos podemos recordar nombres de poetas (llamémosles así) que viven en nuestra época, pero que no son en espíritu nuestros contemporáneos.

¿Hasta dónde remonta dicha antigüedad? Es decir, ¿qué línea separa lo contemporáneo en sentido estricto de lo que ya ha dejado de serlo? Nuestro tiempo tiene raíces en el pasado inmediato, y hasta en el que sólo es mediato; raíces que no podemos cortar arbitrariamente, sino seguir hasta la mayor profundidad temporal que alcancen, para determinar y comprender mejor lo contemporáneo según sus orígenes, qué carácter tiene, por qué es así y no de otro modo. De ahí que, para estudiar nuestra poesía contemporánea, sea necesario ante todo determinar hasta qué límites extremos remonta su espíritu, su tradición. Cierto que la continuidad de nuestra tradición lírica va mucho más atrás: hasta los orígenes literarios del idioma; pero sin perder de vista esa continuidad de siglos, que hace de nuestra lírica lo que ella es y no otra; hay en dicha continuidad transiciones que determinan las épocas distintas en que se integra, y la última transición de ella en el tiempo es precisamente la que buscamos: la que determina su contemporaneidad histórica respecto a nosotros.

Una transición en el curso de nuestra poesía, dentro del pasado inmediato, la marca el movimiento modernista, y a su tiempo veremos si esa transición es tan considerable como pretenden los historiadores de nuestra literatura y no resulta más aparente que real; pero los orígenes de la poesía contemporánea van en el tiempo más allá de la fecha histórica asignada al modernismo. Llegan en realidad (en línea ondulante, como la del oleaje sobre la playa, que en unos lugares se adentra más que en otros) hasta ese momento incierto, a finales del siglo XVIII, cuando, como ocurre con la poesía de las demás lenguas modernas, el neoclasicismo cede al romanticismo y ambas direcciones, extrañamente, parecen coexistir en algunos poetas, engendrando un lirismo que no es clásico ni tampoco romántico, sino moderno, como ocurre con la poesía de Blake, de Hölderlin, de Leopardi, de Nerval, de Pushkin, época que entre nosotros, por desgracia, no puede cifrarse en nombre alguno ni obra alguna de poeta.

Los neoclásicos se hallaron pues, cambiada la sociedad española, con que tenían del mundo una visión diferente, y para expresarla necesitaban también un diferente lenguaje, volviendo, como reacción contra el culteranismo del siglo anterior, al equilibrio entre lengua hablada y lengua escrita. Tenían algo nuevo que decir, al menos eso se figuraban, y para ello debían hallar expresión nueva. No puede reprochárseles que no se dieran cuenta de esa necesidad, porque sí se la dieron; lo que podemos reprocharles es la solución tan pobre que tuvieron para ella. Meléndez, por ejemplo, quiere que la poesía española hable «el lenguaje de la razón y la filosofía», así como también «poner nuestras musas al lado de las que inspiraron a Pope, Thompson, Young, Saint-Lambert, Haller, Cramer y otros célebres modernos», celebridades a quienes, con la excepción de Pope, nadie recuerda hoy. De los versos bucólicos, tan amanerados y falsos de materia como de expresión, pasaban los neoclásicos a las odas, tan frías y secas de materia como de expresión, aunque unos y otras satisfacieran en su tiempo el gusto de los lectores, o éstos, a falta de algo mejor, los aceptaran de buen grado. Ahí tenemos un ejemplo de la dificultad a que antes aludíamos para conciliar tradición y novedad; la novedad de los neoclásicos es relativa y la tradición superficial. Se dirá que el siglo xviii, escéptico y razonador, era poco favorable por lo tanto para la poesía; pero poeta razonador era Pope, y tenía, al menos, una lengua admirable; no: todo es favorable al poeta, aún en la época más adversa, si tiene el don de la poesía.

Pero al menos se debe a los neoclásicos el haber acabado con el culteranismo, que había llegado a ser entre nosotros la única expresión de la poesía. Es difícil hoy, después de haber asistido en 1927 al levantamiento del entredicho estúpido e ignorante que la crítica erudita (encabezada por Menéndez y Pelayo) había lanzado contra Góngora, imaginar hasta qué extremo el culteranismo llegó a ahogar toda posibilidad de renovación en nuestra poesía; el culteranismo, asociado a la superstición del estilo «noble», no sólo era una manera de decir las cosas, sino la única manera de decirlas: se había convertido en una fórmula literaria muerta, en algo académico. También debemos a los neoclásicos otra cosa: la resurrección de los clásicos de nuestra poesía. Azara edita de nuevo a Garcilaso en 1765, que desde 1622 no había vuelto a editarse; Mayáns edita en 1761 a Fray Luis de León, que desde 1631 tampoco se había reimpreso. Entonces comienzan las demás colecciones antológicas: el *Cajón de Sastre* (1760) de Nipho, el *Parnaso Español* (1768) de Sedano, que con gusto más o menos acertado resucitan tanta parte de nuestra poesía olvidada; y sobre todo la colección de *Poesías Selectas Castellanas* (1830-1833) de Quintana, aunque publicada ya durante el siglo siguiente. Si de la poesía primitiva no hay apenas muestra en esas antologías, la publicación de los *Poetas anteriores al Siglo XV* (1779-1790) de Tomás Antonio Sánchez, que fué el primer editor del *Mío Cid,* suple con creces la falta, aunque a los lectores de entonces no les interesara mucho dicho tipo de poesía. Y si Feijóo, cuyo nombre no se recordará al tratar de cuestiones poéticas, hace del entusiasmo elemento principal de la poesía, definiéndolo como «imaginación inflamada con aquella especie de fuego a quien los mismos poetas dieron el nombre de furor divino» (es inevitable el recuerdo de Byron, que al hablar del entusiasmo le llamaba irónicamente *enthusimusy*), vemos ya lo que, aun dentro del neoclasicismo, va contra él y anuncia el romanticismo.

Otra transición en el curso de nuestra poesía moderna es el romanticismo, que en realidad fué entre nosotros tentativa fallida, como la de los neoclásicos, para hallar una visión y expresión poéticas en consonancia con la realidad de su tiempo. Los románticos, como los neoclásicos, quieren también «regenerar» la poesía, y que sintieran ese deseo es prueba de lo insuficiente que resultaba la labor realizada por los neoclásicos. Pero si éstos enarbolaron la bandera del «buen gusto», los románticos enarbolan la de la «tradición» olvidada o menospreciada por aquéllos. Los más timoratos, los que tenían un pie en el siglo XVIII, hablaban todavía de buen gusto al defender la literatura romántica, pero los jóvenes sólo hablan de resucitar la tradición.

Y podemos preguntarnos, ¿qué tradición? La nacional primitiva. Porque si el siglo XVIII había caído en el «error» del culteranismo, el XVI, al aceptar e introducir en España el modo itálico había «desvirtuado» la tradición nacional. Pero esa tradición nacional que los románticos pretenden defender sólo la defienden por imitación. Neoclasicismo y romanticismo no son entre nosotros sino dos movimientos paralelos de importación y remedo. Walter Scott inocula primero a nuestros románticos el gusto por el pasado medieval de tradición y de leyenda, así como Byron les inocula después el gusto por el desplante y el exhibicionismo, cosa esta última que entre gente tan teatral como la española hallara ya terreno abonado y había de tener vida duradera, subsistiendo hasta el modernismo y aún sobreviviéndole. Al leer hoy el prefacio de las *Lyrical Ballads*, que probablemente nuestros románticos no conocieron, ni acaso oyeron nunca el nombre de Wordsworth, nos sorprende que la argumentación de éste con respecto a la poesía neoclásica inglesa sea más o menos la misma que la de nuestros románticos con respecto a la poesía neoclásica española, aunque ellos no se dieran cuenta clara de lo que decían.

Pero, ¿es que se dieron cuenta tampoco de lo que el movimiento romántico significaba? Si recordamos cómo el romanticismo anima el pensamiento poético y metafísico de Novalis y, en otro terreno, la compenetración casi religiosa con la naturaleza que despierta en Wordsworth, no es posible sino concluir que nuestros románticos, como Byron y Musset, sólo buscaban ahí pretexto para su garrulería y *cabotinage*. Pensamiento, no lo tenían. En el prólogo que escribió Alcalá Galiano para *El Moro Expósito,* habla atinadamente de Alemania como país de origen del romanticismo, y dice que dicho movimiento «está enlazado con sistemas filosóficos llenos de misterio y de oscuridad». Y el pensamiento indudablemente asustaba a los románticos españoles más que el misterio y la oscuridad, porque éstos al menos los prodigaron, entre bambalinas y tormentas de guardarropía, como recursos melodramáticos.

Dos actitudes, una poética y otra crítica, introducidas en España por el neoclasicismo y el romanticismo respectivamente, a saber, el sentimentalismo, originado en Rousseau y aliado a la indulgencia hacia los propios sentimientos (fueran de la índole que fueran, porque el sentimiento lo justifica todo, según los neoclásicos y sus descendientes), y la creencia supersticiosa en una literatura «popular», tomada por nuestros románticos de los teóricos del romanticismo alemán, han sobrevivido a ambas épocas y resistido hasta la nuestra, gracias a la tenacidad con que los poetas españoles modernos persistieron en la primera y los eruditos en la segunda. El sentimentalismo lo heredan los románticos de sus antecesores neoclásicos pero lo llevan aún más lejos; y en cuanto a la creencia en una literatura «popular», que los alemanes defendieron frente al internacionalismo intelectual del siglo XVIII, halagando el patriotismo moderno con el elogio de la literatura nacional primitiva, representa para los románticos, en cambio, una reacción brusca respecto al desdén de los neoclásicos hacia la épica, la lírica de la Edad Media y el teatro nacional. Pero esta actitud, que en su día tuvo sin duda consecuencias beneficiosas respecto al conocimiento y estimación de nuestra literatura, sostenida hoy anacrónicamente y exagerada hasta un extremo increíble por los eruditos más reputados de nuestra tierra, se ha convertido en algo no sólo ya falso, sino absurdo.

En resumen: si el neoclasicismo y romanticismo fracasaron en España, al tratar de hallar expresión nueva para nuestra lírica, al menos hicieron evidente con su fracaso dicha necesidad; y unos y otros, al mismo tiempo, ayudaron a la integración del patriotismo lírico: los neoclásicos reeditando grandes poetas olvidados y los románticos creando el gusto por la poesía primitiva. Y si por un lado se ensancha así nuestro patrimonio lírico, por otro se reduce peligrosamente, porque el comienzo de nuestra poesía contemporánea marca la cesación de todo contacto vivo con la poesía del mundo clásico, latina y helénica, que también es parte de aquél patrimonio *. Desde el Renacimiento, y aún antes de él, la poesía latina había nutrido y sostenido la nuestra vernácula; y aunque con respecto a los neoclásicos y los románticos esa relación comenzara a perder vigencia, aún sin embargo subsistía. En cambio, con respecto a los poemas contemporáneos cuya obra debemos comentar aquí, ¿de cuáles entre ellos es posible decir que conocieron la poesía del mundo clásico, a la que tanto debe nuestra lírica? A falta de ese conocimiento y saber la poesía española ha podido caer en error, probándolo con creces el modernismo: la lectura de unos cuantos poetas france-

* En realidad, ni nuestra poesía ni nuestra literatura tuvieron apenas contacto con la poesía y la literatura griegas, y de ahí se origina quizá uno de sus defectos más graves. Dicho contacto, aparte de habernos tal vez evitado tanta prosa ciceroniana y tanto verso horaciano, hubiera podido dotar a nuestra lengua y espíritu literarios de algo que no es ocasión de precisar ahora. Sin duda nuestro temperamento es refractario a dicha influencia y relación, porque a los contados escritores españoles que supieron griego, Fray Luis de León o Miguel de Unamuno, nada les aprovechó su conocimiento.

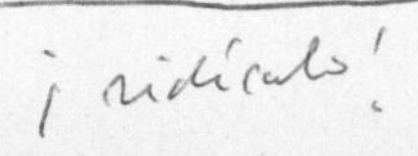

ses no puede substituir la disciplina perdida de una tradición.

También cesa con neoclásicos y románticos el contacto de la poesía italiana renacentista, aunque dicha falta podía compensarla la lectura de poetas de otras lenguas; por desgracia, ha sido la lectura de poetas franceses la que con frecuencia reemplazó a los italianos. Y como los defectos de la poesía francesa van en el mismo sentido que los de la nuestra, el resultado ha sido poco feliz casi siempre; aparte de que Francia, con raras excepciones, es país pobre en poetas.

En los capítulos siguientes veremos qué poetas del siglo pasado ayudaron primero a la tarea de ver y expresar la poesía nueva; y luego en cuáles dicha visión y expresión nuevas se va abriendo camino. Es decir, a descubrir los orígenes de nuestra poesía contemporánea.

RAMON DE CAMPOAMOR

(1817-1901)

En la obra del poeta coinciden intención y ejecución, por lo general; ahora, que después acierte o se equivoque es otra cuestión. Podemos decir que Garcilaso acertó y que Espronceda se equivocó; lo que no podemos decir es que Garcilaso y Espronceda intentaron algo diferente de lo que ejecutaron. Si se diera el caso de que la intención de un poeta no coincida con la ejecución, puede ocurrir: 1.º) que su intención sea justa y su ejecución errónea, y precisamente este fué el caso de Campoamor; 2.º) que su intención sea errónea y su ejecución acertada, lo que nunca sucede y que sería paradójico si sucediera; y 3.º) que el poeta se equivoque en intención y en ejecución, que es lo frecuente, aunque todavía más frecuente es que si el poeta se equivoca en la ejecución ello resulta de que no tenía intención alguna.

Hemos visto en el capítulo anterior cómo los poetas neoclásicos y románticos fracasaron al intentar en sus versos dar expresión a las mutaciones que la vida y la sociedad de nuestro país experimentaban en aquellas épocas. El poeta no vive en las nubes (dijimos), como la gente cree, sino que acaso sea quien de modo más agudo siente el paso del tiempo y cómo con él se altera el curso de la vida; hay épocas en que esas mutaciones se producen de modo brusco y convulsivo, y son épocas revolucionarias; hay otras, las más, en que las mutaciones se verifican de modo graduado e insensible, y son épocas de paz. Pero de un modo o de otro las mutaciones ocurren y hay que contar con ellas.

El poeta tiene que acomodar su visión de la realidad a dichas mutaciones, puesto que lo que expresa en sus versos es su experiencia de la vida (recuérdese la definición que Matthew Arnold dió de la poesía: «Crítica de la vida») y a la vez debe hallar para esa expresión lenguaje adecuado. Acaso ningún poeta español, después de Calderón y antes de Bécquer, se diera cuenta clara de ambas exigencias como Campoamor; pero al intentar darle expresión poética a lo que había percibido en la realidad de su tiempo y de su país, fracasó. Lo que aquí nos interesa no es por qué fracasó. sino cómo fracasó.

Los contemporáneos de Campoamor le tuvieron por gran poeta; hoy al leerle nos cuesta trabajo adivinar qué méritos justificaban aquella apreciación. No es que creamos, como cierto historiador actual de nuestra literatura y como tantos críticos optimistas, que nuestro criterio es el acertado y erróneo el de aquellos que nos precedieron y a quienes con presunción inútil pretendemos corregir; sabe Dios lo que pensarán de nosotros y de nuestro criterio literario las gentes que vengan después. Lo que me parece innegable es que Campoamor era un hombre de inteligencia aguda y se daba cuenta de sus circunstancias. Acerca de sus propósitos como poeta, Campoamor escribe: «Si es verdad, como dice

RAMON DE CAMPOAMOR

CAMPOAMOR.-OLEO DE MADRAZO

Espinosa, que Dios, la sustancia infinita, se divide en pensamiento y extensión, desde la aparición de mis primeras composiciones conocí que no tenía más remedio que refugiarme en la región del pensamiento, pues otro gran poeta, el señor Zorrilla, ocupaba a la sazón hasta el último recodo del atributo de la extensión».

Son estas palabras dignas de reflexión, sin olvidar la ironía (y la ironía, que juega papel tan importante en cuanto escribió Campoamor, fué acaso lo que le perdió como poeta) que recelan y bajo la cual, se perfila el buen Zorrilla ocupando «hasta el último recodo del atributo de la extensión». Lo que sí podemos dudar es que Campoamor «escogiera» como dice su campo de visión o su campo de acción, porque ningún poeta lo escoge sino que le es dado y se impone a él. A las palabras citadas añade estas igualmente interesantes: «Viendo la totalidad de la naturaleza extensa abarcada por la mente objetiva de este bardo divino, no tuve más remedio que refugiarme en el campo de mis impresiones subjetivas, íntimas, completamente personales». El riesgo de un subjetivismo excesivo lo atempera al definir así la función de la poesía: «La poesía verdaderamente lírica debe reflejar los sentimientos personales del autor en relación con los problemas propios de la época; no es posible vivir en un tiempo y respirar en otro».

Me parece que es ahí donde expresamente aparece por vez primera en la historia de nuestra literatura la referencia a las *impresiones subjetivas* como tema poético. Todo tiene su tiempo y ocasión, y la boga de esa actitud (que culmina en la poesía del 98) al fin, alejó de nuestra literatura del siglo XIX la tentación de componer más poemas extensos y escribir más versos narrativos, puesto que la expresión de impresiones subjetivas sólo es posible en poemas breves y de concisión lírica. Ya está abierto el camino para las *Rimas* de Bécquer, para los *suspirillos germánicos,* como llamó a ese género poético el pomposo Núñez de Arce. El peligro estaba, entre gente exagerada como la española, en desconocer los límites y los riesgos de dicho tipo de poesía.

Campoamor sólo es justo en parte al aplicar aquellas palabras a su propia labor, porque al lado de las *Doloras,* las *Humoradas* y hasta cierto punto de los *Pequeños Poemas,* ha de escribir cosas, como *Colón* o *El Licenciado de Torralba,* a las que no pueden aplicarse. Aunque la exactitud relativa de ellas respecto a la obra de Campoamor no nos interesa aquí, ya que sólo nos ocupamos del mismo en cuanto a sus intenciones, por el valor teórico que puedan tener, y apenas en cuanto poeta.

Así que Campoamor, al introducir lo subjetivo en la lírica da un paso decisivo, descubriendo una senda que ni los neoclásicos ni los románticos (y que nuestros románticos apenas descubrieran lo subjetivo es algo paradójico) pudieron dar. Pero Campoamor, una vez hallado este nuevo punto de mira frente a la realidad, necesitaba también hallar expresión adecuada para lo que veía. Y debe reconocerse que también ahí adivinó algo, aunque no supiera bien lo que adivinaba.

En el capítulo primero vimos cómo la expresión poética, con movimiento de péndulo, va de la sencillez a la riqueza expresiva, según que la materia que en ella se informa sea más o menos poética respectivamente. Los cambios de expresión, y por tanto los de lenguaje, están determinados por el cambio de visión, y éste a su vez por la mutación de la realidad que viva el poeta. Desde el siglo XVIII el poeta español había tratado vanamente de hallar lenguaje adecuado para el verso en que pensaba dar expresión al medio diferente en que vivía. La expresión culterana había caducado con su época, después de una dominación absorbente como nunca la obtuvo entre nosotros ningún estilo literario.

Lo que realizaron los neoclásicos ahí está y ya hemos aludido a su escaso valor; los románticos pueden burlarse de sus antecesores y del pastor «Clasiquino», pero fracasaron igualmente. Fué Campoamor, mediado el siglo XIX, quien advirtió cuál era el punto capital en la cuestión: la reforma del lenguaje poético. Aunque comienza a publicar versos en 1837, en el momento de apogeo del romanticismo histórico, y en 1842 da su primer volumen, *Ayes del Alma,* todavía no se advierte en él asomo de su propósito respecto al lenguaje; es en las *Doloras,* en las *Humoradas,* en los *Pequeños Poemas,* donde el cambio se advierte.

Campoamor ha pasado a ser para nosotros, aunque no se le lea (porque supongo que hoy nadie lo lee), el poeta prosaico por excelencia, y su expresión y lenguaje por ejemplo de vulgaridad. Sin embargo, al juzgarle así se olvida su mérito principal: haber desterrado de nuestra poesía el lenguaje preconcebidamente poético. Es una tarea que debe realizarse continuamente, pues si no el lenguaje se anquilosa, resultando ineficaz y aún perjudicial para todo intento de expresión poética. Siempre ocurre que los *amateurs* usen en verso determinadas palabras y asociaciones de palabras que juzgan «poéticas» porque las han oído y leído innumerables veces en versos ajenos y porque ellas de por sí les parecen «bonitas»: como «cisne», «mujer», «perla», «rosa» o «amor infinito», «belleza eterna», etc., que no son sino unos pocos ejemplos de ese lenguaje cuya eficacia poética el aficionado (y la mayoría de los poetas resulta compuesta de simples aficionados) no pone en duda. Dicho sea de pasada: hablar mucho de «sentimiento», sin tratar de expresar, de contagiar sentimiento alguno, también se estima como cosa infalible; pero en poesía y en literatura nunca debe hablarse de sentimiento ni de emoción, sino tratar de comunicarlos, para lo cual hay que expresarlos.

En eso consiste el valor histórico de Campoamor, en haber desterrado de nuestra poesía el lenguaje supuestamente poético que utilizaron neoclásicos y románticos. Estos, como vimos, se desprendieron del anticuado formulario expresivo compuesto por el culteranismo, pero si los primeros lo sustituyeron con un falso y raquítico, los segundos lo sustituyeron con otro falso y desmesurado. El problema seguía en pie. Compárese, por ejemplo, el lenguaje y estilo usado por Campoamor en *Ternezas y Flores* (1840) y el usado luego en sus *Doloras* y *Humoradas*; en la colección primera todavía habla unas veces como un poeta neoclásico:

Agite placentera
la risa veleidosa
como el aura ligera
tus mejillas de rosa

y otras como un romántico:

La del enlutado manto,
la de la toca de encaje,
la de mil hombres encanto.
¿Cuánto va a que no es tan santo
tu pecho como el ropaje?

En las *Doloras* (1846) pronto se advierte cómo las frases hechas, las asociaciones establecidas de palabras, las palabras favoritas de escuelas anteriores han desaparecido: el lenguaje es directo y simple, la expresión coloquial:

Sé que corriendo, Lucía,
tras criminales antojos,
has escrito el otro día
una carta que decía:
«Al espejo de mis ojos»

Dígase lo que se quiera de Campoamor como poeta; no por eso debe dejar de reconocerse la deuda que nuestra poesía tiene con él por haber desnudado el lenguaje de todo el oropel viejo, de toda la fraseología falsa que lo ataba. No puede, al menos, negársele el valor que tiene como antecedente de Bécquer; Campoamor era nueve años mayor que Bécquer, y éste pudo aprovechar en beneficio propio algo de la labor lingüística del otro, ya que las *Doloras* son de 1864; las primeras *Humoradas,* que son de 1886, y los primeros *Pequeños Poemas,* que son de 1872, no pudo conocerlos Bécquer, pues muere en 1871.

Hizo Campoamor tabla rasa del obstáculo principal que todo poeta encuentra frente a sí: una lengua poética envejecida.

Es curioso comparar la intención estilística que suponemos en Campoamor con las palabras de Wordsworth en el prefacio a las *Lyrical Ballads.* Wordsworth, que juzga caduco y falso el lenguaje poéico de Pope y de los poetas neoclásicos ingleses, lo ataca y establece ciertas condiciones para crear otro que él juzga vivo y eficaz. Cree que «en gran parte el lenguaje de todo buen poema, por elevado que sea, no debe necesariamente diferir de la buena prosa, excepto en lo que al metro respecta. Ninguna diferencia esencial existe entre el lenguaje de la prosa y el de una composición métrica». El propósito inicial que le guiaba al componer sus poemas era «escoger incidentes y situaciones de la vida ordinaria y referirlos, en cuanto fuera posible, con un lenguaje usado realmente por los hombres». Fija su atención en la «vida humilde y rústica porque en ella las pasiones esenciales del corazón hallan mejor terreno donde desarrollarse». Acepta «el lenguaje de dichos hombres, ya que son ellos quienes están en contacto con los objetos principales de donde se deriva la parte mejor del lenguaje»; y aun tiene otras razones para esa preferencia, ya que no estando los hombres susodichos «bajo la influencia de la vanidad social expresan su sentir y su pensar de modo simple y sencillo», con lenguaje más «duradero y filosófico que aquél, con el cual los poetas lo constituyen frecuentemente, creyendo así acrecentar su fama y su arte, cuando lo que hacen es enajenarse la simpatía humana con hábitos caprichosos creados por ellos mismos a fin de alimentar gustos volubles y apetitos más volubles todavía».

Compárense las palabras de Wordsworth con éstas entresacadas de la *Poética* *, de Campoamor: «Cuánto más popular y cuánto más nacional sería nuestra poesía si en vez de la elocución artificiosa de Herrera se hubiera cultivado este lenguaje natural de Jorge Manrique». (En las *Coplas* de Manrique tenemos, en efecto, el ejemplo perfecto en nuestra lírica de lenguaje hablado, según la distinción entre lenguaje hablado y lenguaje escrito que establecimos en el capítulo primero. Recordemos también de pasada que Machado, quien tiene ciertos puntos de contacto con Campoamor, admira igualmente a Manrique). La poesía es «la representación rítmica de un pensamiento por medio de una imagen y expresado en un lenguaje que no se puede decir en prosa ni con más naturalidad ni con menos palabras». «Es imposible que haya mala poesía cuando en ella hay *ritmo, rima, conceptos e imágenes.*» «Con la expresión natural de las imágenes rítmicas no puede haber malos poetas; con el antiguo dialecto poético, aunque tengan lo que constituye la esencia de la poesía, que es el ritmo y la imagen, son imposibles los poetas buenos.» «Sólo el ritmo debe separar el lenguaje del verso del propio de la prosa.» «Siéndome antipático el arte por el arte y el dialecto especial del clasicismo, ha sido mi constante empeño el de llegar al arte por la idea y el de expresar ésta con el lenguaje común, revolucionando el fondo y la forma de la poesía; el fon-

* Actualmente no hay edición de ella en librería, ni tampoco de las otras obras en prosa de Campoamor. En cambio puede hallarse traducción de las obras de cualquier escritor extranjero, por insignificante que sea.

do con las *Doloras* y la forma con los *Pequeños Poemas*».

La coincidencia teórica entre uno y otro poeta no impide que Wordsworth, ya sea a consecuencia de sus opiniones, ya sea a pesar de ellas, fuera un gran poeta, y Campoamor no; además, Wordsworth plantea en su país la cuestión de renovar el lenguaje poético al finalizar el siglo XVIII, es decir, a su tiempo debido; y Campoamor la plantea entre nosotros bien mediado ya el XIX. Si eso pareciera restarle un poco de valor histórico, recuérdese, en cambio, la dicción «tonto-bíblica», como la llamaba Galdós, de tantos poetas de la época de Isabel II, el amaneramiento del lenguaje y el apartamiento de la poesía de todo cuanto era la vida de entonces, y eso no por esteticismo, que aun no había llegado a España, sino por pobreza de espíritu; sólo así podemos hacer alguna justicia a Campoamor.

Sus contemporáneos le consideraban poeta filosófico; digamos que fué un moralista en verso, cuyas observaciones tienen muchas veces valor psicológico y raramente valor poético («Hastío», «Mal de Muchas», «Bodas Celestes». «Cuestión de Fe»); otras tienen un valor dramático, aunque tampoco valor poético («Cosas del Tiempo», «¡Quién supiera escribir!», «Los dos Miedos»). Con dotes idénticas a las que poseyó, pero siendo además un poeta, no sé si decir que pudo dejar una obra equivalente de la de Browning. ¿Verdad que esas figuraciones son ociosas?; contentémonos con ciertos poemillas suyos del género sentencioso-irónico, que están bastante bien. En ocasiones parecen anticipo de Greguerías; de ellos, pasando por Augusto Ferrán, que escribe poemillas lírico-sentenciosos, llegamos a Machado, quien deliberadamente evoca en algunos de sus versos gnómicos el recuerdo de Campoamor.

Campoamor fué un poeta raro entre nosotros; a veces se diría un poeta inglés (en lo posible) de la época victoriana, y acaso eso sea lo que sin proponérmelo haya suscitado en mi memoria el recuerdo y la comparación con ciertos poetas ingleses de dicha época, aunque algún desplante a la española, que en él se observa en ocasiones, dificulta la comparación. Conviene releerle a cierta altura de la vida (Campoamor nunca parece haber sido joven) para aprender a tolerarle por lo menos; y entonces tal vez comencemos a dudar cuando composiciones más cercanas en el tiempo, como la *Marcha Triunfal,* de Darío, nos parecen ya muertas, si en cambio otras más distantes, como «¡Quién supiera escribir!», de Campoamor, no guardan todavía algún rescoldo vivo.

GUSTAVO ADOLFO BECQUER

(1836-1871)

Tras un letargo extraño de más de siglo y medio, la poesía española despierta en las *Rimas* de Bécquer. No había sido nuestra lírica, como sí lo había sido la francesa, de pobre caudal; pero inexplicablemente, después de Calderón, parece cesar de existir. Es difícil imaginarse hoy a alguien que lea por puro placer poético los versos bucólicos de Meléndez o las odas de Quintana (primero escritas en prosa y luego puestas en verso por su autor) como se leen las églogas de Garcilaso o las canciones de San Juan de la Cruz. Igualmente difícil parece imaginar a alguien que, por gusto, lea a Zorrilla o a Espronceda, digan lo que quieran algunos recalcitrantes. La poesía neoclásica española, así como la romántica, no viven hoy, por vivas que pudieran parecer a sus contemporáneos; ninguna chispa las anima y constituyen un peso muerto en nuestra literatura, peso que ésta sobrelleva, juntamente con otros semejantes, como puede.

Pero tampoco debe pensarse que Bécquer, sin ayuda alguna, resucitara la poesía. Al recorrer las páginas de verso de una antología, o en las de una historia literaria, hallamos nombres de poetas menores, como se les suele llamar, que en este siglo y medio de esterilidad poética, con dicción acaso inhábil, expresaron una emoción aún viva en alguna de sus poesías. Son, por ejemplo, Arolas en su composición «Sé más feliz que yo»; Pablo Piferrer en su «Canción de la Primavera»; Pastor Díaz en sus versos «A la Luna»; Enrique Gil en «La Violeta». Este sobre todo parece un poeta a quien el sino, truncando su vida, no permitió desarrollar los dones que en él había. No obstante, alguno de sus versos, su novela *El Señor de Bembibre,* sus notas críticas, quedan en nuestra literatura como algo más que escritos de un poeta menor. Fué Enrique Gil como una anticipación de Bécquer, quien realiza más tarde una obra equivalente a que el primero no pudo llevar a cabo.

Es decir, que tras los nombres de Rivas, Zorrilla y Espronceda, a quienes la estimación del público contemporáneo elevó tan inmerecidamente y a quienes la crítica ha mantenido después en un puesto que no llenan, hay otros que, menores y olvidados como son, no por ello dejan de representar un intento digno de tenerse en cuenta y ser recordados al menos como predecesores de Bécquer. Una línea común enlaza la obra de éste con la de aquéllos, y en una emoción medio balbuceada, en una expresión más sutilmente matizada, hallamos para Bécquer una ascendencia. Están en una línea común, que llamaremos «nórdica», para oponerla a la garrulería, vaciedad y exageración meridionales de los románticos españoles.

Pero la vida de Bécquer fué pronto truncada y sólo pudo dejarnos una obra reducida. Es una colección de poemas breves, que llegan al centenar; y en prosa, de nueve cartas literarias, las «Cartas desde mi Celda», unas dieciocho *Leyendas* y diversos artículos y esbozos. Estos escritos no habían aparecido en libro al morir Bécquer en 1871; el cuidado de sus amigos los reunió y publicó después en dos volúmenes El éxito que éstos obtuvieron entre los lectores motivó que la segunda edición fuera aumentada con un tercer volúmen. Y esa ha sido la edición en que durante años era leído Bécquer. Luego, hojeando entre viejas páginas de periódicos y revistas, se reunieron otros tres volúmenes que en unión de los anteriores y con otros escritos antes no recogidos, constituyen hoy la obra de Bécquer. Escritas acaso por encargo o necesidad material, la mayoría de esas páginas resucitadas ahora no añaden nada nuevo a lo que de él ya conocíamos, aunque su publicación, señal de renovado interés por el poeta, fuera deseable y conveniente. Curiosa es también la publicación * del texto original de las *Rimas*, sin las correcciones que Narciso Campillo, amigo y paisano de Bécquer, hizo ocasionalmente en él, con el consentimiento del poeta; correcciones ligeras que sólo conciernen a la dicción y, contra lo que pudiera pensarse, benefician en general al texto.

La obra de Bécquer nos ofrece diferente perspectiva según el punto de vista desde el que la observemos. Hay momentos, y son los más, en que nos aparece como fruto excesivamente tardío del romanticismo; pero hay otros en que se nos aparece orientada hacia el futuro. ¿Qué pensaba, qué creía Bécquer acerca de la poesía? La rima I puede decirnos algo; vamos a comentarla.

El poeta conoce por presentimiento, por intuición, la

* Editorial Pleamar, Buenos Aires y Ediciones Guadarrama, Madrid.

poesía, y de dicho conocimiento queda huella sonora («Cadencias que el aire dilata en las sombras») en sus versos; pero al querer expresar ese presentimiento, al confiarlo a la palabra, al «rebelde y mezquino idioma» del hombre, el poeta fracasa. Desearía hallar para él expresión con «palabras que fuesen a un tiempo / suspiros y risas, colores y notas»; es decir, que lo inefable sólo puede trasladarse al idioma por medio de lo más inefable con que cuenta el hombre como medio de expresión: el suspiro y la sonrisa. Y a esa expresión tan vaga, acaso para que no se desvanezca, debe unirse lo plástico (el color) y la melodía (las notas); la pintura y música resultan así aliadas del poeta. Mas sabiendo éste lo imposible de su intento, añade que apenas si en el silencio y la soledad amorosa, estando el poeta junto a su amada, en contacto material uno y otro («teniendo en mis manos las tuyas»), pudiera, oyéndolo él dentro de sí, al dictado de la inspiración, susurrarla al oído el son misterioso de la poesía. La poesía resulta para Bécquer comunicación íntima al lector. Estamos aquí lejos de la plaza pública o el escenario adonde el poeta romántico vociferaba sus versos.

La rima III es un díptico que presenta los dos elementos de la poesía según Bécquer: la inspiración (que nosotros llamaríamos imaginación) y la razón (que llamaríamos lógica poética); el genio, con su poder, es quien puede reunir esos dos elementos antagónicos, conciliándolos. En la inspiración hay

ideas sin palabras,
palabras sin sentido,
cadencias que no tienen
ni ritmo ni compás;

GUSTAVO A. BECQUER

Tú y yo

1

Cendal flotante de leve bruma,
rizada cinta de blanca espuma,
rumor sonoro de harpa de oro,
beso del aura, onda de luz,
Eso eres tú:

Tu sombra aérea que cuantas veces
voy á tocarte te desvaneces
como la llama, como el sonido,
como la niebla,
como el gemido del lago azul.

En mar sin playas ola espumante,
en el vacío cometa errante,
largo lamento del ronco viento,
vaga esperanza de algo mejor,
Eso soy yo:

Yo que á tus ojos en mi agonía
los ojos vuelvo de noche y día;
yo que incansable corro demente
tras una sombra,
tras la hija ardiente de una visión

G. A. Becquer.

20—

BECQUER.—AUTOGRAFO DE LA RIMA "TU Y YO"

es decir, algo que existe en nuestra mente, pero que no ha hallado aún expresión; palabras ciegas que se pronuncian sin saber lo que quieren decir, y una música nunca oída, sin ritmo ni compás. ¿No presiente ahí Bécquer algo que sus descendientes han de realizar en nuestra poesía? Pero la inspiración, además, no se nutre de la realidad circundante, porque también pueden alimentarla

memorias y deseos
de cosas que no existen.

En la rima V, en cambio, la poesía se nos revela como latente en todo, en la naturaleza física y en la metafísica, y sólo ella puede reunir a ambas, siendo el puente que las junta sobre el abismo, la escala que va del cielo a la tierra, que liga forma e idea (en tiempos de Bécquer todavía solía hablarse de «forma» e «idea» como cosas separables). Es la poesía

desconocida esencia
perfume misterioso

que únicamente el poeta sabe revelar al hombre. Pero la poesía también existe inapercibida para los hombres, aunque el poeta no exista; la rima IV enumera todo aquello donde está latente la poesía, aunque no haya voz poética que la capte y exprese.

Aún será Becquer más explícito, pasando de la revelación poética a la delimitación histórica de la poesía, en ciertas palabras del prólogo que escribió para el librito *La Soledad* de su amigo Augusto Ferrán. Son palabras muy citadas estos años pasados en los escritos diversos que sobre Bécquer se han publicado. Creo haber sido el primero que llamó la atención sobre ellas en un estudio que publicó la revista *Cruz y Raya* el año de 1936. Dicen así: «Hay una poesía magnífica y sonora; una poesía hija de la meditación y el arte, que se engalana con todas las pompas de la lengua, que se mueve con una cadenciosa majestad, habla a la imaginación, completa sus cuadros y la conduce a su antojo por un sendero desconocido, seduciéndola con su armonía y su hermosura.

»Hay otra natural, breve, seca, que brota del alma como un chispa eléctrica, que hiere el sentimiento con una palabra y huye, y desnuda de artificio, desembarazada dentro de una forma libre, despierta, con una que las toca, las mil ideas que duermen en el océano sin fondo de la fantasía.

»La primera tiene un valor dado: es la poesía de todo el mundo.

»La segunda carece de medida absoluta; adquiere las proporciones de la imaginación que impresiona: puede llamarse la poesía de los poetas.»

Hay en dichas palabras, leídas entre líneas unas sugerencias de valor para la comprensión de la poesía moderna, que ahí se vislumbra. Esa es la poesía «breve, seca», que por su concentración y reticencia «hiere al sentimiento con una palabra y huye»; la poesía «desembarazada dentro de una forma libre», contrastando con la pesadez de las estrofas tradicionales en boca de los románticos, donde el pensamiento poético, si alguno hay, se enreda con el ritmo del verso y el consonante. De ser sinceros con nosotros mismos debemos reconocer que el secreto de la rima se fué con Calderón, y que después nos suena, con rara excepción, ripiosa. Pero hay algo más interesante aún, porque responde de antemano a las objeciones formuladas en los años últimos, desde que esas palabras fueron escritas, contra la «oscuridad» de los versos modernos. La poesía «adquiere las proporciones de la imaginación que impresiona» Sin cierta adecuación previa de poeta y lector es inútil que éste intente leer versos; porque, para que los versos digan algo al lector, su imaginación debe ser apta y susceptible de emoción poética. Dicha emoción sólo se da en proporción a la receptividad del lector, cuando está previamente facultada para percibir de modo pasivo la experiencia poética activa que en dichos versos se expresa.

Para dar más desembarazo y libertad al verso, Bécquer prescinde de las estrofas tradicionales, excepto del romance. No es J. R. Jiménez quien resucita el romance lírico en nuestra poesía moderna: es Bécquer. Léase la rima V, ya antes citada; ahí tenemos un romance lírico que suena, a pesar de ciertas desviaciones de tono, con voz actual:

Yo soy el fleco de oro
de la lejana estrella;
yo soy de la alta luna
la luz tibia y serena.

Pero Bécquer usa de preferencia combinaciones de verso de arte mayor, unidos en estrofas de cuatro o más versos a otros de arte menor, o a veces a estrofas de verso de arte mayor con uno de pie quebrado. En Bécquer, por lo general, la frase poética muy flexible se pliega graciosamente dentro de la estrofa con movimiento sinuoso, a lo cuello de cisne, que recuerda la frase melódica de Chopin (véase rima XVIII). El abandono del consonante a favor del asonante completa en este aspecto la intención de Bécquer de dar a la poesía, como dijo y citamos, desembarazo y libertad. El busca ante todo la música, no la sonoridad; así como en la expresión busca la sugerencia, no la elocuencia.

Bécquer vivió poco y acaso no tuvo tiempo para que su visión poética abarcara aspectos diversos de la realidad; sólo llegó a expresar, pero con raro dominio, ciertos aspectos juveniles de ella. Se ha dicho que es el poeta del amor, lo que puede aceptarse con la aclaración necesaria de que lo que expresó del amor, fué, de una parte, su estado preliminar, en el cual el amor es un presentimiento, un alba sonriente; y de otra, el desengaño final, la desolación del fracaso amoroso. Este último sobre todo. Pero no es, o sólo es raramente, poeta que exprese el éxtasis del amor, su plenitud.

Ese fracaso le lleva al deseo de anonadamiento, ya sea en el sueño de la muerte (rima LXXVI), ya en la disolución panteísta en la naturaleza (rima LII). Hay de todos modos en los versos de Bécquer, juntamente con los de tema amoroso, cierto predominio de los que tienen a la muerte como tema. Tan hondo llega a calar en su ánimo ese deseo de aniquilamiento que hasta en el abrazo amoroso busca algo que se asemeje a la muerte: la mujer ideal para Bécquer (rima XI) es incorpórea e intangible, «vano fantasma de niebla y luz». ¿Cómo no ver un anhelo personal del propio Bécquer en ciertas palabras que pone en boca del oficial francés protagonista de la leyenda «El Beso»? El personaje aludido dice a sus amigos: «El beso de esas mujeres materiales me quemaba como el hierro candente, y las apartaba de mí con disgusto y con horror, hasta con asco; porque entonces, como ahora, necesitaba un soplo de brisa del mar para mi frente calurosa, beber hielo y besar nieve... nieve teñida de suave luz, nieve coloreada por un dorado rayo de sol... una mujer blanca, hermosa y fría, como esa mujer de piedra que parece incitarme con su fantástica hermosura».

Sólo nos referimos en este estudio al verso de Bécquer, no a su prosa, aunque es difícil separar su verso de su prosa, que fueron ambos obra poética. No pretendo sugerir, como dijo un crítico español moderno, que sólo el poeta sabe escribir en prosa. Pero es indudable, si comparamos la prosa de un poeta como, por ejemplo, la de Fray Luis de León en *De los Nombres de Cristo,* con la de Bécquer en sus *Leyendas,* que el poeta, cuando sabe escribir en prosa, infunde a ésta ciertas cualidades que no hallamos en la de otros prosistas, por excelentes que sean. La prosa de Bécquer, como su verso, busca la cadencia, no la sonoridad; la sugerencia, no la elocuencia. Una y otro, prosa y verso, no son en él sino instrumento distinto de una misma expresión poética.

Hay en Bécquer una cualidad esencial del poeta: la de expresarse con una claridad y firmeza que sólo los clásicos tienen. Trátese de sustituir en un verso de Góngora una palabra por otra de igual acento y medida, para «mejorar» el verso, y veremos que es imposible. Ritmo y expresión se compenetran allí, formando un todo que no se puede alterar. Alguien, acaso fuera Coleridge, definió la poesía como «las mejores palabras en el mejor orden». Dicha definición, como toda definición de la poesía, tiene sus fallas, pero aclara en este punto lo que pretendo decir. Esa cualidad estilística, de acierto infalible en ritmo y expresión, se ha ido perdiendo en tiempos modernos; el instinto de la lengua ya no es tan firme, y no podemos decir que los poetas modernos lo posean como lo poseyeron los clásicos, ni por lo demás los lectores de hoy se darían cuenta de la presencia o ausencia de dicha cualidad en los autores que leen. Nuestro sentido del idioma se ha relajado hasta el punto de que los lectores acepten como principal lectura esas hórridas traducciones de librejos científico-pedantescos.

Ha pasado ya la obra de Bécquer por los tres estados que acaso deba atravesar un escritor para convertirse en un clásico. Al desconocimiento inicial, excepto por un grupo de amigos, sucede inmediatamente después de su muerte la atención ignorante del público, que lo mismo acepta sin saber lo que acepta como rechaza sin saber lo que rechaza; luego, en la época modernista, el olvido; ahora, en años recientes, el interés hacia su obra ha vuelto a surgir, pero ya es perceptible la trascendencia evidente que su obra tiene. Es decir: como un clásico. En efecto, Bécquer desempeña en nuestra poesía moderna un papel equivalente al de Garcilaso en nuestra poesía clásica: el de crear una nueva tradición, que lega a sus descendientes. Y si de Garcilaso se nutrieron dos siglos de poesía española, estando su sombra detrás de cualquiera de nuestros poetas de los siglos XVI y XVII, lo mismo se puede decir de Bécquer con respecto a su tiempo. El es quien dota a la poesía moderna española de una tradición nueva, y el eco de ella se encuentra en nuestros contemporáneos mejores.

En sus *Rimas* no sabemos qué admirar más, si su composición o su dibujo de línea perfecta. En su brevedad son un organismo completo, donde nada falta ni sobra.

ROSALIA DE CASTRO

(1837-1885)

Una de las afectaciones más desagradables, ya sea propia del poeta, ya la adopten a beneficio de éste lectores y críticos, es la afectación de poeta incomprendido. Pues que, entre nosotros, la poesía resulta actividad clandestina, lo mejor que el poeta puede hacer es aceptar el hecho y seguir escribiendo, si puede, y si no, dejar de escribir; pero si luego sobreviene para él la fama póstuma, la posteridad no tiene derecho a envanecerse de que supo hacer justicia para el poeta muerto, cuando con respecto al vivo está procediendo con la misma ignorancia de que el primero disfrutó en su tiempo, ni el segundo envanecerse de que respecto a él ha de ocurrir lo mismo, porque puede no ocurrirle. Error es ese que el siglo XIX legó al XX, y que común en Francia, sobre todo, de allá se contagiaron los países de lengua española, aunque afortunadamente parece hoy en decadencia.

Ejemplo de ese error lo da Azorín: cuando se indigna de que Valera no incluyese a Rosalía de Castro en su antología de *Poetas Castellanos del Siglo XIX*, incluyendo en cambio ciertos versillos de no sé qué pobres Infantas (curiosa la indigencia espiritual de los poderosos: en tiempos modernos el poder y la fortuna parecen castrar el espíritu), no quiere eso decir que Azorín supiera de poesía más que Valera; éste, a pesar de sus versos ñoños, sabía acerca de poesía bastante más que Azorín, y si no incluyó a Rosalía de Castro en dicha colección, cuando ya incluía a Unamuno, fué sin duda por antipatía a la antipatía castellana de la poetisa y a su regionalismo intransigente, para no aludir a que, de tres de sus libros de verso, dos fueron escritos en gallego.

Una vez dicho eso, añadamos que Rosalía de Castro, aunque hace más de sesenta años de su muerte, todavía no parece aceptada en la poesía española, y que su obra, importante desde tantos puntos de vista, no ha influído en el rumbo de nuestra lírica. Si goza de cierta notoriedad, acaso se deba más bien a su regionalismo, el cual hace que su nombre sea traído y llevado por sus paisanos, tanto en su Galicia nativa como en la América de lengua española, adonde muchos de ellos emigraron. No se trata de que a su obra alcance el destino extraño que a la de Francisco de Aldana, por ejemplo, que a pesar de su «Epístola a Arias Montano» (composición única en la poesía española), jamás obtuvo, no digamos el renombre de otros poetas que son en verdad sus iguales, pero ni siquiera el de otros que le son inferiores; no, en el caso de Rosalía de Castro, el desconocimiento no es tan completo, aunque, habiendo escrito una obra que cuenta de manera indudable en la historia de nuestra poesía, sólo algunos la recuerdan y reconocen su valor.

Y el motivo de la preterición no es que fuera mujer, como pensarán muchas feministas exacerbadas, sino acaso porque al escribir en gallego la mayor parte de sus versos, ella misma limitó el alcance de su obra. Eran aquellos años cuando ella vivía los primeros del regionalismo nacionalista, en Cataluña, en Galicia (Maragall, que escribe sus versos en catalán, escribe al mismo tiempo la mejor prosa española que en época contemporánea se haya escrito), naciente el prurito de la lengua regional contra la española; y aunque parezca extraño, dado el hecho de que escribir en español es una de las formas más acabadas del secreto, los escritores regionalistas prefirieron otra forma del mismo más acabada aún, al escribir en lenguas de tradición cultural intermitente, pobre en algún caso y con muy corto radio de expansión.

Ya dijimos que de los tres libros de versos que publicó Rosalía de Castro, *Cantares Gallegos* (1863), *Follas Novas* (1880) y *En las Orillas del Sar* (1884), sólo éste último está escrito en español, y por eso nuestro comentario ha de limitarse a él, aunque como ilustración al lirismo de la autora será a veces necesario referirse a los otros dos. En el prólogo a los *Cantares Gallegos* establece así Rosalía de Castro su intención poética primera: «No habiendo aprendido en otra escuela que en la de nuestros pobres aldeanos, sólo guiada por aquellos cantares, aquellas palabras cariñosas y aquellos giros nunca olvidados, que tan dulcemente resonaron en mis oídos desde la cuna, y que fueron recogidos por mi corazón como herencia propia, atrevíme a escribir estos cantares». Es decir, que nos encontramos, como también veremos al hablar de Machado, con alguien que cree en el pueblo como escuela de enseñanza poética, y se muestra mero copista del canto popular. No niego que estos poemas primeros de Rosalía de Castro sean glosas de cantares populares, porque muchos de ellos lo son en efecto; lo que sí quiero recordar en ese punto es que Galicia cuenta con una tradición lírica más antigua que la de Castilla, una tradición de lirismo refinado, y Rosalía de Castro no hacía entonces otra cosa sino renovar aquella tradición, ya que los cantares populares de que se nos dice imitadora eran tan sólo, como escribe J. R. Jiménez, refiriéndose al supuesto arte popular: «Imitación o tradición inconsciente de un arte refinado que se ha perdido».

En el prólogo al libro siguiente, *Follas Novas,* publicado unos veinte años después del primero, nos dice que estos versos se compusieron «en el desierto de Castilla, pensados y sentidos en las soledades de la naturaleza y de mi corazón». Mas no por esto último que indica se estima criatura aparte; y así nos habla de su disposición natural para «sentir como propias las penas ajenas», añadiendo, «¿qué le pasará a uno que no sea como le pasa a todos los demás?». Lo que le ocurre a ella, dice, «ocurre en mí y en todos; en mi alma y en las ajenas». Se excusa de que puedan tomarla por una «inspirada», y no estima su libro un libro «trascendental», ya que por ser mujer es «arpa sólo de dos cuerdas, la imaginación y el sentimiento». Pero añade, asomando ahí cierta rectificación a su popularismo inicial, que «en los dominios de la especulación como en los del arte, nada hay tan inútil y cruel como lo vulgar». Por eso, para no caer «en tan gran pecado, nunca intenté pasar los límites de la poesía sencilla, la cual encuentra a veces, en una expresión feliz, en una idea afortunada, aquella cosa sin nombre («espíritu sin nombre», decía Bécquer de la inspiración poética), que directa como flecha va a traspasar nuestra carne, nos estremece y resuena en el alma dolorida como otro ay que responde al largo gemido que levantan en nosotros los dolores de la tierra»

Una observación interesante es: «En este mi libro prefiero, a las composiciones que pudieran decirse personales, las otras que con más o menos acierto expresan las tribulaciones de aquellos que, unos tras otros y de distintos modos, vinieron durante largo tiempo a sufrir a mi alrededor». Excusemos las demasiadas alusiones al sufrimiento en gracia a que la autora se hace así eco de una poesía, en la cual las experiencias humanas ajenas tienen tanta parte, o más, que las propias del poeta. Y eso, en una época cuando el poeta se iba ya alzando frente al resto de la humanidad como criatura única y solitario por excelencia. Otras dos indicaciones de interés contiene además dicho prólogo; una de orden crítico, marcando la diferencia que separa su primer libro del segundo: la frescura del primero (entendiendo acaso ahí por frescura cierto candor juvenil) no ocurre en el segundo; Galicia, que era objeto del primer libro, es sólo ocasión del segundo, aunque esté presente en él como fondo: la otra indicación es el anuncio de que no volverá a escribir versos gallegos, «ya pagada la deuda en que me parecía estar con mi tierra».

aunque no deje de parecernos que se despide demasiado ligeramente de una obligación que nadie le impuso.

Descontando la originalidad de su obra, la conexión de ella con la poesía galaica, y sobre todo con la gallega medieval, ¿qué antecedentes inmediatos tiene Rosalía de Castro? No hay en su obra reminiscencias neoclásicas, aunque sí algunas románticas, en el sentido que nuestros románticos entendieron tanto el romanticismo como la poesía; sobre todo una complacencia en la expresión de sus sentimientos que es característica de Espronceda, y que ha de convertirse en rasgo peculiar de la poesía contemporánea española. Es verdad que la autora nos dijo, y ya citamos sus palabras, que podía sentir como propias las emociones ajenas y hasta que dentro de su obra prefería las composiciones que expresaban emociones ajenas. Pero no por eso deja de ser dominante en ella el individualismo sentimental, que también existe en Bécquer, aunque en éste la maestría técnica y la precisión del vocabulario parecen purificarlo. Y al mencionar a Bécquer mencionamos precisamente un antecedente directo para la poesía de Rosalía de Castro. Recuérdense las fechas de aparición de sus libros: si el primero, de 1863, está conectado con la lírica popular, los otros dos son de 1880 y 1884; es decir, posteriores en unos diez años a la publicación póstuma de las obras de Bécquer, aparte de que los versos de éste aparecieron en revistas cuando aún vivía el poeta.

Que Rosalía de Castro conocía la obra de Bécquer no deja lugar a dudas:

Rosalía Castro de Murguía

SALVADOR RUEDA

Aquel romor de cántigas e risas,
ir, vir, algarear
aquel falar de cousas que pasaron
y outras que pasarán;
aquela, en fin, vitalidade inquieta,
xuvenil, tanto mal
me fixo que lles dixen:
idos y non volvás.

Me excuso de citar sin traducirlos estos versos, pero fácilmente se puede percibir en ellos un ritmo y un acento que traen a la memoria el recuerdo de Bécquer. Se dice, además, que Rosalía de Castro lo conoció personalmente, y que tanto ella como su marido Manuel Murguía tuvieron amistad con él. Pues que la poetisa estuvo en Madrid hacia 1856 y vivió allí en dos ocasiones, parece probable que conociera a Bécquer. Es enojoso no poder precisar la existencia de dicha amistad; pero acerca de las figuras importantes de nuestra literatura moderna no existen estudios biográficos estimables, tanto desde el punto de vista histórico como desde el punto de vista crítico, y no sólo en el caso de Rosalía de Castro, pero ni siquiera en el de Bécquer contamos con una obra de ese tipo.

Si el recuerdo de Bécquer es visible en ella, el de Campoamor, menos importante, también ocurre a veces, como en el poema «Tú para mí, yo para ti, bien mío», que parece una dolora. Y hasta hallamos en sus versos anticipaciones al acento de algún poeta futuro, como estos:

Bajemos, pues, que el camino
antiguo nos saldrá al paso...
lleno aún de las blancas fantasmas
que en otro tiempo adoramos.

que hoy pueden recordarnos a Machado, y hasta el tema de un poema bien conocido de Machado: «Yo voy soñando caminos», lo hallamos en un poema gallego de Rosalía de Castro: *Unha vez tiven un cravo.* Por último, no insistiendo más en estas coincidencias curiosas, sus versos:

Para llenar el mundo
basta a veces un sólo pensamiento.

despiertan un eco de aquella sentencia maravillosa de San Juan de la Cruz: «Un solo pensamiento vale más que el mundo».

Una emoción personal anima bastantes versos de Rosalía de Castro, emoción asociada a la visión de un lugar campestre; pero la repite sin variación perceptible en bastantes composiciones, y como su factura a veces adolece de cierta precipitación, eso unido a la monotonía, resta a su lirismo la singularidad e inevitabilidad que deben acompañar a los versos del poeta. Quizá los mejores de Rosalía de Castro sean los que escribió en gallego; sus poesías en español raramente tienen la perfección de algunas de las primeras, como, por ejemplo, la tan conocida *Cando penso que te fuche,* en donde la pasión visionaria que expresa halla correspondencia en las diversas imágenes, y en la cual ritmo y palabra se compenetran. No siempre sus temas derivan de alguna emoción nostálgica o melancólica; también ocurren otros de inspiración religiosa, a veces con cierta reticencia que no me atrevería a llamar incrédula, aunque corran el riesgo de dicho calificativo versos como este: «Buen Dios, a quien nunca veo». Otros derivan del patriotismo regionalista, en los cuales la poetisa halla voz contra la injusticia («Y el hambre de justicia que abate y que anonada», «Ni de la injusticia el látigo, que al herir mancha y condena»), que estima cometida por el resto de España contra su región nativa; injusticia simbolizada en la figura del emigrante gallego.

Es posible ver ahí, en esa postergación y desdén, que según ella sufre Galicia, una transmutación de la postergación y desdén que sufrió la propia persona de la poetisa; hay una amargura tan peculiar en muchos de los versos que tratan aquel tema, que acaso haga aceptable dicha interpretación. Así ocurre en cierta composición incluída en su libro de versos españoles, donde dice, refiriéndose a los emigrantes: «Para quienes no hay sitio en la hostigada patria». En general, el amor, frustrado, es verdad, y el odio, excitan casi siempre a la poetisa, y ella misma nos repite en varias ocasiones lo que dice este verso: «En mi pecho ve juntos el odio y el cariño». Esa confusión de emociones contrarias origina quizá en ella el desasosiego, el descontento de que sus versos se hacen eco tantas veces; aunque acaso también otras dé a su voz el tono enérgico que tiene en composiciones como la que comienza: «Atrás, pues, mi dolor vano con sus acerbos gemidos».

Si la crítica se ha fijado en algún aspecto de la obra de Rosalía de Castro tal vez haya sido principalmente en el de sus innovaciones de metros y ritmos. Durante una época cuando dichas innovaciones eran raras, Rosalía de Castro usa versos de catorce sílabas, de diez y seis, de diez y nueve; de ahí que algunos críticos, tachando de envejecida la poesía española de la segunda mitad del siglo XIX, y olvidando las innovaciones métricas de nuestros románticos, buscarán en Rosalía de Castro un precedente para las novedades que en dicho aspecto introdujeron los poetas modernistas, aunque hoy veamos que las novedades métricas, cuando sólo descansan en el prurito innovador, no arraigan en la tradición lírica. El ritmo del verso que usa un poeta surge con la visión que tiene, con la experiencia poética que va a expresar y su uso no es consecuencia de una decisión enteramente voluntaria. En poesía, en arte, no hay «fondo» y «forma», como pretenden los críticos estilo Menéndez y Pelayo; a lo más sería posible hablar de visión y expresión, compenetradas ambas en un todo, que es el poema.

A diferencia de lo que ocurre con Bécquer, no se la puede considerar como un escritor ya clásico. Acaso por eso mismo, y por otras razones más complejas, parezca a primera vista más «moderna» que aquél, y causa cierta sorpresa recordar que fueron contemporáneos; Bécquer tenía un año más que ella, pero muere quince años antes. Desde luego no se da en Rosalía de Castro esa doble perspectiva que vimos en Bécquer: hacia el pasado, hacia el romanticismo histórico, de una parte, y hacia el futuro, hacia la poesía moderna, de otra; porque, aparte del individualismo sentimental (de estirpe romántica) que la conecta con la poesía del fin de siglo, poca afinidad tiene con la mejor poesía de hoy. En algunos versos suyos hay cierto anticipo del tono modernista, como en esta otra «salutación del optimista»: «Frescas voces juveniles, armoniosos instrumentos» (última estrofa del poema que comienza: «Pensamientos de alas negras, huid, huid, azorados»). Y no es esa la sola ocasión en que el modernismo parece anunciarse en ella; sí, Darío nos confesará cómo

Con el cabello gris me acerco
a los rosales del jardín.

Rosalía de Castro nos confesó a su vez el mismo afán insaciable, pues que plantas, fuentes, astros, murmuran de ella:

Ahí va la loca, soñando
con la eterna primavera de la vida y de los campos,
y ya bien pronto, bien pronto, tendrá los cabellos canos.

Desigual, informe en ocasiones, sentimental en otras muchas, su obra poética posee no obstante un atractivo que ha ido resistiendo al paso del tiempo. Sin antecedentes en nuestra lírica clásica, sin continuadores en nuestra lírica contemporánea, Rosalía de Castro nos aparece aislada: un caso aparte. Pero hay que contar con ella.

II

GENERACION DE 1898

EL MODERNISMO Y LA GENERACION DE 1898

Los historiadores de nuestra literatura asumen sin excepción que el modernismo influyó y renovó el curso de la poesía española. En dicha asunción hay una petición de principio, pues se da por establecido algo que antes debería probarse: la renovación de la poesía española bajo la influencia del modernismo. No es mi intención discutir enteramente la influencia supuesta del modernismo americano en nuestra lírica, sino sólo en dos aspectos: uno, atendiendo a si hubo en España, antes o durante el modernismo, algunos intentos poéticos afines con él, pero distintos de él; otro, comentando la relación y diferencia que pueda haber entre los propósitos estéticos y literarios del movimiento modernista y los de la generación de 1898.

Por los años inmediatos anteriores a la publicación de los libros de Darío, hubo en España unos cuantos poetas, entre ellos Manuel Reina, Ricardo Gil, Salvador Rueda, en cuyos versos hallamos temas, ritmos y acentos que si difieren en algo de aquellos de los principales poetas modernistas americanos sólo es por pertenecer a otra tierra; no digamos que por pertenecer a otra tradición, ya que la tradición poética casi era la misma todavía en América y en España, aunque entonces comenzaran los poetas americanos a crear para ellos una tradición nueva, o mejor, varias tradiciones nuevas (en realidad no pasan aún de tres: la mexicana, la chilena, la argentina), según los diferentes países en que se había dividido el antiguo imperio español en el continente. Hoy es difícil conocer la obra de aquellos poetas españoles a que me refería (excepto parcialmente en el caso de Rueda, del que en años recientes se ha editado una selección), y sólo acudiendo a determinadas antologías podemos leer alguna muestra de sus versos, aunque esa muestra, como ocurre siempre en las antologías, no sea de lo mejor ni de lo más representativo que escribieron. Pero como no necesitamos ahora comentar sus obras, sino observar de pasada el rumbo de ellas, dicha muestra nos basta.

Se trata de poetas todos mayores, en unos diez años, que Darío; diferencia de edad significativa en cuanto a ocasión y oportunidad para comenzar a expresarse antes que él. Si *Azul* aparece en 1888, en Chile, sólo su cuarta edición (Barcelona, 1907) es española, y cuando los poetas a que aludimos conocieran el primer libro modernista de Darío, ellos, por su parte, ya habían publicado varios. En cuanto a *Prosas Profanas*, su primera edición de 1896 es argentina y la segunda de 1901, francesa. Compárense esas fechas con las de publicación de algunos libros de Manuel Reina *, Ricardo Gil ** y Salvador Rueda *** y

* *Andantes y Allegros*, 1877; *Cromos y Acuarelas*, 1878; *La Vida Inquieta*, 1894; *La Canción de las Estrellas*, 1895; *Poemas Paganos*, 1896.

** *De los Quince a los Treinta*, 1885; *La Caja de Música*, 1898.

*** *Noventa estrofas*, 1883; *Cuadro de Andalucía*, 1883; *Sinfonía del Año*, 1888; *Estrellas Errantes*, 1889; *Himno de la Carne*, 1890; *Cantos de la Vendimia*, 1891; *En Tropel*, 1892; *La Bacanal*, 1893; *Camafeos*, 1897; *Piedras Preciosas*, 1900.

comprobaremos que la influencia de Darío sobre ellos sólo pudo darse tardíamente, si es que realmente se dió, y sus versos eran ya lo que eran antes de que tuvieran ocasión de leerle. Sólo con algunos títulos de los libros de Reina, Gil y Rueda basta para que nos demos cuenta de su rumbo y de sus afinidades poéticas antes de que Darío hubiera podido orientarles. Respecto a su lectura posible de otros poetas modernistas americanos anteriores a Darío, aparte de que el interés literario de ellos es bastante inferior al de Darío, es sabida la dificultad que había en España (no sé lo que ocurre hoy) para conseguir libros americanos, y no creo aventurado decir que probablemente no los leyeron.

Se trata, pues, de una coincidencia en el tiempo de dos intenciones poéticas equivalentes, pero independientes una de otra, una americana y otra española; y repárese que digo intenciones poéticas equivalentes, lo cual en modo alguno implica que las crea de valor igual. El modernismo, aparte de sus rasgos específicos americanos, también ofrecía otros comunes con el movimiento literario esteticista que se da en muchos países poco antes del fin de siglo y durante el fin de siglo. Y es este movimiento, por razón de su prioridad, y no el modernismo, el que más o menos directamente pudo afectar la obra de los poetas españoles aludidos. ¿Por qué no reconocer entonces que en España hubo poetas «modernistas» antes de que Darío trajera el modernismo de América a España?

El caso más evidente es el de Salvador Rueda (1857-1934), no sólo porque fué el poeta de mayor importancia entre nosotros en aquel momento, sino por las dificultades que su misma importancia le suscitó con Darío. Este, a su llegada a España en 1892 (a su segunda llegada en 1898 la situación literaria es diferente), se encuentra con un poeta que entonces podía parecer a algunos afín con el americano, y a cuyo lado las novedades poéticas de que se juzgaba portador también podían parecer a algunos menos nuevas. Que Darío no perdonó a Rueda lo que sin duda estimaba anticipación a su modernismo (aunque fraternizaran en apariencia y hasta que el nicaragüense escribiera el poema «Pórtico» para el libro *En Tropel* del español), lo atestigua el que más tarde, en una de sus crónicas, hablando de Rueda, dijera Darío: «Yo, que le he criado poeta», aunque llamándose a errata rectificara luego sus palabras como: «Yo, que le he creído poeta». A lo cual, entre otras réplicas enconadas, corresponde Rueda (ya muerto Darío), en una conversación que cita Rafael Alberti, del modo siguiente: «¿Rubén Darío? Gran poeta, ¿cómo no? ¿Pero usted cree que hubiera podido existir sin Rueda? Muchos, tanto aquí como allá, lo deben todo a Rueda, aunque no quieran confesarlo.» Palabras tan exageradas sin duda como mal intencionadas las del artículo de Darío, pero bajo ellas hay algo que no deja de ser cierto; si no la deuda en que según Rueda están para con él todos los poetas americanos y españoles, sí su prioridad en una poesía modernista española, al menos afín con el modernismo, aunque anterior e independiente.

En Rueda, como en los otros poetas del momento que comentamos, no se da todavía aquella desviación, que del movimiento esteticista (modernista entre nosotros) sólo toma algunas características, fundiéndolas luego con otras españolistas, o mejor, castellanistas, como hacen los poetas y literatos de la generación de 1898. En él y en sus congéneres la modalidad de lo que pudiéramos llamar modernismo vernáculo se da limpia de preocupación nacionalista. Es difícil hoy, dado el olvido en que han caído dichos poetas, apreciar la repercusión que sus versos, los de Rueda por lo menos, tuvieran en su tiempo.

¿Qué valor real había tras de ellos? Hojeando las *Poesías Completas* (1911) de Rueda observamos un acento nuevo en nuestra lírica, aunque en él todo sea arranque, ímpetu primero y nada más; un tipo de poesía hacia el cual los escasos lectores que hay entre nosotros sienten un gusto instintivo; tipo de poesía no raro en nuestra literatura moderna desde Zorrilla a Miguel Hernández, aunque en Zorrilla hubiese al menos un dominio del idioma, que no ocurre en los restantes poetas de este tipo. Poetas que son o quieren ser muy sensoriales (véase el soneto «La Sandía», de Rueda, perfecto en su género), de metáforas atropelladas, las cuales muchas veces no acaban, insertándose unas en otras sin lógica poética y aun a veces sin sentido común. Peculiar en casi todos ellos es un entusiasmo vital, traducido muchas veces en frenesí amoroso o sexual, que no deja de desquitarnos, a pesar de su tosquedad, de la negación constante frente a la vida, de procedencia religiosa, tan frecuente en nuestra literatura.

La crítica literaria apenas se ha cuidado, que yo sepa, de atender a las mutaciones del sentimiento amoroso, o del deseo diferenciado del amor, en las distintas épocas literarias; a lo más se habla de «petrarquismo» al referirse al amor entre los poetas renacentistas, y eso es todo. El amor, tal como solían expresarlo tanto los modernistas como los del 98, nos parece en ocasiones un sentimiento que cristaliza ante lo enfermizo y morboso (como ocurre en la *Sonata de Otoño,* de Valle-Inclán, y en varias novelas de Baroja), que puede hallar satisfacción, ya en el burdel y la prostituta (como ocurre tantas veces en las novelas de Pérez de Ayala), ya en la *cocotte* (esa desaparecida institución nacional francesa), aunque esto, justo es decirlo, apenas ocurra entre los del 98, sino entre los modernistas: «Mi querida es de París», decía Darío con arrogancia evidente. En cambio para Rueda el amor o el deseo son una urgencia de todo el ser, la cual reivindica su derecho a realizarse, como forma suprema que para él es de la vida; más aún: el deseo, el sexo, es la vida. Sólo por esa franqueza, por haber dicho lo que aún tratan de silenciar siglos de hipocresía, merece algún recuerdo. Y es curioso que un poeta tan casto como Unamuno elogie los versos de Rueda, como: «Ventanas abiertas al campo libre, donde se vive sencillamente, sin segunda intención, bajo la luminosa gracia de Dios».

Sin duda el interés que hoy presenta la poesía de Rueda, como la de Reina y la de Gil, es histórico, por las razones antes dichas de constituir un modernismo español anterior e independiente del americano. Aunque unas pocas entre las composiciones de todos ellos, bien seleccionadas, pueden y deben ocupar un lugar en cualquier antología de poesía española moderna, donde al menos servirían como recordatorio del papel que sus autores tienen en ella. Son versos de no muy alta calidad, en bastantes ocasiones vulgares, pero en algunas agradables de releer.

Pasemos ahora a comentar la relación entre los propósitos literarios del modernismo y los de la generación de 1898. Aún no se ha tomado, con respecto a los escritores de esta generación, a pesar de que el tiempo y la muerte los distanciaron bastante, una actitud crítica, sino que subsiste la panegírica, y eso que los acontecimientos nacionales en los últimos treinta años han puesto un comentario terrible a muchas de las páginas que escribieron con irresponsabilidad extraña *. Se les sigue considerando como contemporáneos nuestros, cuando varias generaciones nuevas los han desplazado y como actuales sus obras ya caducas. Pero no es tampoco nuestra intención comentar la obra de los escritores del 98, sino deslindar la relación entre dicha generación y el modernismo.

¿Qué fué el 98? Al formular tal pregunta el lector recordará las respuestas usuales a ella, con lo que me evita su repetición; yo no quisiera sino aislar alguna parte de las mismas y tratar de presentarla aquí bajo luz diferente. El 98, se dice, fué una crítica de la vida española, pero una crítica, conviene aclarar, que más que a examinar objetivamente ciertos aspectos de nuestra vida tendía a censurarlos subjetivamente, al menos durante los años negativos al movimiento, que fueron los prime-

* Como ilustración citaré unas palabras de Ortega y Gasset, de su conferencia *Vieja y Nueva Política* (1914): «El Estado español y la sociedad española no pueden valernos igualmente lo mismo, porque es imposible que entren en conflicto, y cuando entren en conflicto es menester que estemos preparados para servir a la sociedad frente al Estado, que es sólo como el caparazón jurídico, como el formalismo externo de su vida. Y si fuera, como es para el Estado español, como para todo Estado, lo más importante el orden público, es menester que declaremos con lealtad que no es para nosotros lo más importante el orden público, que antes del orden público hay la vitalidad nacional.»

ros; sobre todo censuraba lo concerniente al rumbo de la política española y en general la tradición nacional. También se dice que el 98 redescubrió la tierra española, sus ciudades y pueblos, lo cual no parece cierto, porque acaso ningún escritor del 98 conoció tan bien España en su realidad física como Galdós (véanse, por ejemplo, sus *Episodios Nacionales*), cuyo genio pretendieron ignorar los del 98 con envidia rencorosa. Se dice además que el 98 resucitó a nuestros clásicos; ¿es que alguno de dicha generación los conocía y sentía mejor que Valera o Menéndez y Pelayo? Y en Galdós ocurre siempre, con oportunidad rara, la cita o el recuerdo de alguno de nuestros clásicos, aunque para darse cuenta de ello, dada la densidad de su obra, hace falta haberle leído, cosa poco frecuente, eso de la lectura, entre muchos críticos. La crítica que hicieron de los clásicos algunas gentes del 98 fué al modo impresionista, importado de Francia, que Azorín (su exponente principal) llamó sin razón «crítica psicológica».

En cuanto al modernismo, ¿qué fué? El lector también tiene aquí, sin duda, pronta la respuesta, y no he de insistir en lo que ya se sabe. Sólo aclararé esto: algún crítico modernista ha pretendido identificar dicho movimiento con el simbolismo, identificación errónea desde cualquier punto de vista. El modernismo, sin discutir ahora si en cuanto actitud poética fué o no inferior al simbolismo, parte del romanticismo francés, pasa por lo parnasiano, pero se detiene precisamente donde comienza el simbolismo. Recuérdese que los poetas franceses a quienes los modernistas admiran e imitan son

SALVADOR RUEDA

FRANCISCO VILLAESPESA

VILLAESPESA CON UN GRUPO DE AMIGOS,
ENTRE ELLOS MANUEL MACHADO

VILLAESPESA CON SU ESPOSA E HIJOS

Hugo, Musset, Leconte de Lisle, Heredia, Banville, hasta Lamartine en algún caso; y aunque admiren o traten de admirar a Verlaine, basta comprar los poemillas de *Fêtes Galantes,* donde con un sentido perfecto de la composición y el dibujo todo es sugerencia y matiz, con la exageración y falta de gusto de «Era un Aire Suave»; los temas podrán ser equivalentes, pero los resultados en uno y otro caso son bien desiguales. Es curioso: la mejor poesía francesa del siglo pasado (Nerval, Baudelaire, Mallarmé, Rimbaud) no interesó a los modernistas y la dejan a un lado; si algunos de estos grandes nombres les acuden bajo la pluma sólo es como «rareza» literaria. Así, pues, resulta extraño que se hable todavía de las novedades importadas de Francia por el modernismo. ¿Es que Lamartine, Hugo, Musset, no habían sido leídos hasta la saciedad por nuestros románticos? No hablemos de la poesía de otras lenguas que pudieron conocer los modernistas, porque excepto Poe (a través de Francia) y Heine (también a través de Francia), casi ningún otro nombre de poeta extranjero no francés les fué familiar, y apenas si el de Whitman suena entre ellos alguna vez.

En cuanto a las diferencias y coincidencias entre ambos movimientos, modernismo y 98, no basta decir, respecto a las primeras, que uno es americano y otro español, como tampoco basta decir que uno atañe al verso y el otro a la prosa, porque la obra en prosa de Valle-Inclán (su verso apenas tiene interés) es consecuencia en parte del modernismo y poco en ella corresponde a las preocupaciones del 98; ni mucho menos sería justo decir que resultan enteramente ajenos el uno al otro. Modernismo y 98 son movimientos que se cruzan y tienen por tanto algunos puntos de intersección, en parte por identidad de propósito, en parte por influencia mutua. Vamos ahora a referirnos pues a alguna de las coincidencias entre ambos movimientos. El 98 fué una posición intelectual más o menos justa (esta no es ocasión de discutirlo) frente a la historia y la vida española; es decir, fué un movimiento político, literario, nacionalista, entendiendo lo de nacionalista como atento principalmente a interpretar la realidad nacional. El modernismo fué un movimiento estético, literario, cosmopolita. Pero ambos coinciden en ser movimientos de reforma: el 98 de reforma política, el modernismo de reforma literaria; de ahí que los del 98, aunque no todos ellos aceptaran prácticamente las reformas literarias modernistas, las miraran con simpatía (excepto en el caso de Unamuno), ya que la crítica de nuestra literatura clásica y moderna, implícita en el modernismo, era agua que iba también a su molino.

También coinciden ambos movimientos en una común ambición esteticista, con lo cual no hacen sino seguir la corriente literaria general de la época. Así, por ejemplo, tanto algunos escritores del 98 como la mayoría de los modernistas utilizan a veces para materia de sus escritos, no sus experiencias personales sino lo que había sido materia expresada por otros autores, fueran poetas, novelistas, pintores o músicos, en otras obras. Pondremos algunos ejemplos: en un capítulo titulado «Un Hidalgo», de su libro *Castilla,* utiliza Azorín como héroe nada menos que al hidalgo mismo, al escudero del *Lazarillo de Tormes,* sentimentalizado, casi desencarnado de su admirable realidad original, haciendo además que el Greco le retrate como «El Caballero de la Mano al Pecho». El soneto tercero del «Trébol» de Darío, en *Cantos de Vida y Esperanza,* reúne en un mismo terceto a Angélica (la Angélica de *Orlando Furioso,* de Ariosto, utilizada por Góngora en su romance «Angélica y Medoro»), las Meninas y las nueve Musas. En una de las escenas primeras de *La Pata de la Raposa* subraya Pérez de Ayala algunos momentos de la misma por comparación de las obras de diferentes pintores, escultores y músicos, a saber, en su orden de aparición: Meunier, Jordaens, Teniers, Grieg, Rimsky-Korsakov, Rubens, Fra Angélico, Lisipo, el escriba egipcio del Louvre, Verrochio. Para explicar los orígenes de esa actitud no basta referirla al esteticismo de Gautier, con quien sin duda se relaciona más o menos directamente; hay algo más, sea pereza o pobreza creadora, sea ostentación de cultura, y un poco de todo eso hay en ella. No insistamos, aludiendo a la serie de libros del 98 y sus sucesores inmediatos en los cuales la materia principal es el comentario de obras famosas, como por ejemplo del *Quijote*: el libro de Unamuno, *Vida de Don Quijote y Sancho,* y el de Ortega y Gasset, *Meditaciones del Quijote,* son dos de los más ilustres; para no referirnos a Don Juan, que levantó toda una marejada de comentarios librescos. Pues bien, dicha característica es común al modernismo y al 98.

Hay entre ambos un continuo flujo y reflujo, aunque se haya preferido siempre ver al modernismo como acreedor; pero también éste puede tomar a veces del 98. Por ejemplo: al final de *Prosas Profanas* incluye Darío algunos poemitas, «dezires, layes y canciones», donde aparece en su poesía como veleidad pasajera, dada la afición de Darío a la pompa retórica, el gusto hacia los primitivos de nuestra literatura, lo cual era rasgo característico del 98; aunque dicho gusto también pudo animarlo en Darío la lectura de la *Antología de Líricos Castellanos,* de Menéndez Pelayo, cuyos volúmenes comienzan a aparecer desde 1890. Hasta su soneto «A Maestre Gonzalo de Berceo» (raro que no escribiese Gonçalvo), también en *Prosas Profanas,* parece inspirado por la admiración de los del 98 al viejo poeta del mester de clerecía.

Vistas someramente algunas coincidencias entre modernismo y 98 e insinuada más que someramente la posibilidad de sus préstamos mutuos, pasemos a la cuestión concreta de la influencia modernista sobre nuestra literatura y poesía de la época. Dentro del 98 suelen distinguirse dos grupos, incluyéndose en el primero a Unamuno, Valle-Inclán, Azorín, Baroja, y en el segundo a Machado, Jiménez, Pérez de Ayala; pues bien, es el segundo grupo al que el modernismo afecta más que al primero; aunque convenga tener en cuenta la excepción ya indicada de Valle-Inclán, quien cae dentro del modernismo, sin sacudirse enteramente de él hasta que su genio le lleva, pasando por la trilogía *Aguila de Blasón, Romance de Lobos, Cara de Plata,* a las obras que, como *Divinas Palabras,* marcan el cénit de su admirable producción dramática, entre nosotros única. Cierto que siempre hubo en Valle-Inclán rasgos característicos ajenos al modernismo: la truculencia y la ironía. El resto del grupo concentra la atención sobre Castilla y su destino histórico (aunque esto no sea del todo aplicable a Baroja), y las preocupaciones esteticistas son para ellos nulas, excepto en el caso de Azorín; la sola mención de dichas preocupaciones hubiera encolerizado a Unamuno. En cambio el grupo segundo, utilizando los temas castellanistas del primero, los combina con preocupaciones esteticistas, acercándose más a la órbita del modernismo

En realidad el modernismo afecta a los escritores del grupo segundo en razón inversa al valor literario de su obra, como puede verse si comparamos la influencia modernista en Machado y en Villaespesa. A este poeta hoy olvidado, amigo fraterno de J. R. Jiménez *, lo subyuga el modernismo enteramente. No es ahora ocasión para comentar su obra, ni lo que de ella pudiera salvarse; sólo queremos indicar que Villaespesa es el puente por donde el modernismo pasa a una nueva generación de escritores y poetas, que viene inmediatamente detrás de este segundo grupo del 98, y acerca de la cual sí puede hablarse con justeza de influencia modernista. Es una generación sin denominador particular en la historia de la literatura, que pasado el primer decenio del siglo actual invade la escena y el periódico: el drama en verso y la crítica de libros y comedias fueron su feudo principal durante largos años, y aun creo que todavía lo disfrutan algunos supervivientes. Como no es intención de este librito estudiar *toda* nuestra poesía contemporánea, sino sólo aquella parte de ella cuyos versos pueden parecer más vivos al lector de hoy, según la opinión de los en-

* Respecto a la amistad de Villaespesa y Jiménez y la relación de ambos con la poesía de la época, léase el estudio de José Bergamín, «Las Telarañas del Juicio», en el número 13 de la revista *El Hijo Pródigo.*

tendidos confrontada con la mía personal, espero que se me excuse de no entrar en mayores detalles acerca de la generación susodicha. La mención de algunos nombres, entre los varios que figuraban en ella, como los de Marquina, el matrimonio Martínez Sierra, etc., bastará para saber a qué generación aludo.

De todo eso podemos deducir que si el modernismo influye entre nosotros es sólo con respecto a lo menos importante de la poesía contemporánea. ¿Es justo entonces seguir hablando de la renovación que trajo a nuestra lírica? Su aportación en temas, metros, vocabularios, ha sido rechazada por las generaciones poéticas nuevas, como alimento que el organismo no digiere ni asimila. Ya en los capítulos siguientes veremos la reacción individual frente al modernismo de los poetas del 98 cuya obra vamos a comentar.

MIGUEL DE UNAMUNO

(1864-1936)

En 1907 publica Unamuno su primer libro de versos con el simple título de *Poesías*. Conviene señalar lo tardío en la fecha de publicación: tiene su autor entonces cuarenta y tres años y hace algunos que viene publicando otras obras en prosa. Contradice así Unamuno la creencia tan extendida de que el poeta nace joven. Es verdad que al hojear dicho volumen parece advertirse que los poemas pertenecen a momentos diferentes y no pocos de ellos pudieron componerse bastantes años antes de su publicación.

No obstante la estimación de los lectores a la obra en prosa de Unamuno, acaso la más alta que entre el público español se haya concedido a un autor moderno, eso no benefició en nada al poeta. Si fuera necesario probarlo bastará con recordar que ninguno de sus libros vió segunda edición y que transcurridos bastantes años después de su muerte en 1936, sólo ahora se ha publicado el *Cancionero* (1945), última obra poética de Unamuno.

Al hojear los versos de Unamuno pronto asaltan al lector los defectos externos de su poesía: la dureza del oído, la tosquedad de expresión. Unamuno era hombre que no trataba de excusar sus defectos, ni de compensarlos con el esfuerzo por adquirir las cualidades de que carecía, sino que se engreía de sus faltas, llegando a hacer de ellas parte de su poética, como luego veremos, así como también la rectificación que el tiempo trajo a dicho respecto.

Debo advertir que al hablar de la rudeza de Unamuno como poeta, al indicar esos defectos elementales que tan pronto se advierten, no quiero decir que le quiten valor a sus versos, excepto en determinados momentos. Dichos defectos, compensados en lo posible por otras cualidades, no impiden que Unamuno sea probablemente el mayor poeta que España ha tenido en lo que va de siglo.

Pero veamos cuál era la poética de Unamuno; ya su primer volumen, en las primeras páginas, ofrece un arte poética. En la composición así titulada (que el lector de este estudio, si no la reconoce o recuerda, debe leer o releer) dice entre otras cosas:

> *Piensa el sentimiento, siente el pensamiento*
> ... ...
> *No te cuides en exceso del ropaje,*
> *de escultor, no de sastre, es tu tarea*
> ... ...
> *Algo que no es música es la poesía*
> ... ...

Era Unamuno de esos hombres que al hacer alguna afirmación no la hacen tanto por la creencia que en ella pongan como porque con ella contradicen otra ajena que les molesta. Y en dicha composición Unamuno va contra la estética y poética modernista que dominaba el mundo literario de lengua española en aquellos años primeros del siglo. Las características del modernismo, su chisporroteo métrico, sus ricas rimas, sus temas suntuosos y exóticos eran cosa que a Unamuno debía desagradarle tanto más cuanto que representaban el extremo contrario de sus gustos y que entonces el público, en nombre precisamente de la estética modernista, había hasta de negarle consideración como poeta.

Los metros que usa Unamuno son los clásicos, pero transformados en el tono y acento que les dieron los poetas españoles de la segunda mitad del siglo XIX. De ahí, al menos en este primer volumen, la orientación hacia el pasado inmediato que tiene su poesía: parece más bien un poeta del XIX que del XX. Rima, si la usa, será principalmente asonantada. Esto ha de rectificarlo con el tiempo, sobre todo en los versos del *Cancionero,* y desde luego en el uso del soneto, del que ya hay ejemplos en el libro *Poesías* y que ha de utilizar según su estructura clásica en el libro segundo que publica: *Rosario de Sonetos Líricos* (1911).

Pudiéramos señalar en cuanto a los temas de su poesía tres círculos dentro de los cuales se mueve la inspiración de Unamuno. Dejando a un lado, y no porque carezcan de importancia, los poemas de inspiración exclusivamente subjetiva, que atañen al poeta en su vida personal aislada, temas que comparte con los demás poetas contemporáneos, sus versos más característicos surgen de tres círculos de inspiración, según veamos al poeta como miembro de una familia, como miembro de otro grupo social más amplio, que es la patria, y finalmente de otro mucho más amplio que los dos anteriores y que incluye a los hombres todos en su relación con lo divino.

Es curioso recordar que la poesía española había abandonado enteramente esos tres círculos de inspiración temática: familia, patria y religión; y ahí es precisamente donde Unamuno ha de hallar los motivos más felices de su poesía. Esta división temática que aquí esbozo pudiera relacionarse con la que ocasionalmente inicia Unamuno en su primer libro y que me parece tomada de Wordsworth. (Unamuno conocía bien la poesía inglesa victoriana.) Vamos a dejar por el momento la referencia a los versos inspirados en sentimientos familiares, porque conectados con el amor, tendremos ocasión de aludir a ellos al tratar del libro *Teresa*, que es un poema de amor.

Lo nacional, historia y vida española, dió a Unamuno ocasión para numerosos poemas. Unamuno sentía y pensaba como español y expresaba esos sentimientos y pensamientos con hondura y dignidad; de ahí la denominación de poeta cívico, a la manera de Carducci, que se le dió en ocasiones. Verdad que, entre nosotros, denominaciones como esa no son sino lápida bajo la cual desea sepultarse al poeta en el que se adivina un valor, pero que no halaga el gusto de los lectores.

Lo nacional está unido a Unamuno con lo religioso. Una nación necesita para existir un Dios creado por el pueblo; y ese Dios es una de las formas inmediatas en que se revela a los hombres la divinidad. Podemos presentirlo en ciertos parajes solemnes de la tierra que habita un pueblo (Gredos para los españoles), en los hechos históricos decisivos que vive un pueblo (Lepanto). Léase como ejemplo el soneto «Al Dios de España». Sólo guiados por las creencias nacionales pueden los hombres alzarse hasta el Dios de todos los pueblos. Vemos que en Unamuno la religión es una mezcla de fe nacional y de catolicidad.

El segundo libro de versos que publica, *Rosario de Sonetos Líricos,* como su título indica, es una secuencia de sonetos, a lo que dicha forma poética se presta bien. El soneto requiere como materia a informar un concepto, sentido y pensado a un tiempo, que debe desarrollarse por sus estrofas como movimiento gradual imperceptible, sin insistencia ni interrupción, hasta su fin. No diré que todos los sonetos de Unamuno tengan valor igual, pero si algunos sonetos de un poeta español contemporáneo pueden colocarse al lado de otros de un poeta clásico, como Góngora o Quevedo, son los de Unamuno. Léase el bellísimo «Mi Cielo».

En su libro siguiente, *El Cristo de Velázquez* (1920), al exponer Unamuno poéticamente su fe cristiana, escoge como apariencia de la divinidad de Cristo esa misma con que la representó un pintor español, no a la manera sangrienta y dramática de los imagineros, sino otra hermosa y serena, muy diferente; ahí está Unamuno en el cenit de su obra como poeta. Dicho libro contradice, por su tema y su intención, de ser un poema largo, dos hechos aceptados en la literatura de su tiempo: uno, el término de la poesía religiosa; otro, que la poesía ya sólo había de expresarse en poemas breves. Es verdad, respecto a la extensión, que Unamuno elude parte de la dificultad dividiendo el poema en fragmentos (como haría también en su poema *Teresa,* a semejanza quizá de lo que hizo Tennyson en su *In Memoriam*); cada trozo es como glosa de su título, que a su vez es una denominación simbólica dada a Cristo. Dicho poema, escrito en endecasílabos de ritmo no siempre justo, nos trae a la mente otro libro famoso en nuestra literatura: *De los Nombres de Cristo,* de Fray Luis de León, catedrático como Unamuno de la Universidad de Salamanca y poeta como él, aunque una obra sea en prosa y la otra en verso.

¿Cuáles eran las creencias religiosas de Unamuno? El mismo respondió a esa pregunta en dos libros suyos: *El Sentimiento Trágico de la Vida* y *La Agonía del Cristianismo.* Unamuno, formado y educado en el catolicismo nacional familiar, no se ajustaba siempre a su ortodoxia; hasta hubo un tiempo en que se hablaba de él como un protestante español. Naturalmente que quienes decían eso poco o nada sabían acerca del protestantismo; Unamuno tenía, es verdad, algo de la sequedad y del horror a lo sensual que el protestantismo infunde a quienes en él se educan, pero ahí acaba la relación posible. Llevaba en sí la contradicción de ser en el fondo un reaccionario; un reaccionario que tenía como público, y que debía hablar por tanto, a unos lectores de mentalidad liberal y escéptica, con los cuales, para complicar aún más la cuestión, estaba de acuerdo, acaso a pesar suyo, en algunas cosas. Pero nada debía chocar más con su pensamiento sinceramente religioso que el ateísmo chabacano de tantos liberales españoles.

En su libro siguiente, *Rimas de Dentro* (1923), Unamuno incluye otro arte poética, donde repite exagerándolas las cosas que dijo en la primera; hecho tanto más curioso de recordar cuanto que está muy cerca ya de un momento en que escribirá versos que contradigan en la práctica algunas de sus afirmaciones sobre poética. Casi simultáneo con dicho libro es *Teresa* (1924), poema de amor humano, como *El Cristo de Velázquez* lo es a lo divino.

Si comentamos *Teresa* no es tanto por el valor poético que tenga, porque acaso sea el libro más débil, entre los de verso, que Unamuno escribiera (no olvido tantos versos grotescos como contiene el *Cancionero,* pero también contiene, aunque en número escaso, algunas de sus composiciones técnicamente más perfectas), sino porque nos ofrece ocasión de comentar aquel círculo de inspiración poética familiar a que aludimos al comienzo. Unamuno era o parecía ser exageradamente casto. El amor no podía tener para él otra realización que dentro del matrimonio, y aún así le agradaba menos considerarlo en la relación que une a los cónyuges jóvenes que en la relación de éstos una vez pasado el momento inicial de apasionamiento y ya convertido en costumbre. Unamuno confunde en la esposa a la madre del hombre y a la madre de los hijos del hombre, sin olvidar tampoco a la hermana. La confusión de estas tres mujeres distintas en una sola es lo que le permite sentir amor hacia ella. Y ese amor es el que expresa en sus versos, ya sea hacia la esposa o hacia la novia, en quien vive la esposa futura. Pero exenta una y otra de atractivo sensual manifiesto, porque lo sensual, para no decir lo sexual, le choca y le molesta.

Por eso *Teresa* es un poema de amor casto; poema extenso, pero también dividido en composiciones fragmentarias. Tras de él aparece una simple trama novelesca, no muy original: los versos que componen el poema se suponen escritos por un joven a su novia muerta, y también el joven mismo parece próximo a morir en plazo no lejano. Vemos en Unamuno (como vemos en Rilke), al menos en este libro, cierta complacencia morbosa en la consideración imaginaria del cadáver de una muchacha. El, que encontraba obscena la sensualidad fuera de los límites matrimoñescos, no sospechaba de peor gusto todavía el sentir halago en evocar la corrupción de un cuerpo femenino. No sé lo que un discípulo de Freud hallaría tras estos versos de *Teresa,* sin duda algo desagradable. Pero a nosotros eso no nos importa tanto como que en ellos aparece la sombra de Bécquer, evocada de modo expreso y tácito además, porque muchos de estos poemas están escritos en estrofas semejantes a los de las *Rimas.*

Así llegamos al año 1923, cuando ocurre en España aquel golpe de Estado del general Primo de Rivera, que pone término a un período constitucional de nuestra historia y vuelve a la irregularidad política, tan frecuente en la vida española que podemos preguntarnos si no es ahí donde está nuestra paradójica regularidad. Unamuno, a diferencia de lo que hará en 1936, cree necesario oponerse al Dictador y, privado de su cátedra, se le destierra a la isla de Fuerteventura, en las Canarias. En esa ocasión acude al verso para dejar huella de sus emociones diarias, que pertenecen al género cívico-político, aunque luego se diversifiquen. Obra de aquellos años son dos libros, de sonetos uno, *De Fuerteventura a París* (1925) —porque Unamuno pronto y fácilmente se evade de su confinamiento y marcha a Francia, donde vivirá, unas

MIGUEL DE UNAMUNO

Toda una vida. 1

Una mañana del florido mayo
abrió sus alas húmedas de sueño
y del naciente sol al tibio rayo
al aire se entregó. Sobre el risueño
haz del natal arroyo hizo el ensayo
primero de sus alas. Del empeño
segura ya, voló. Breve desmayo
posar le hizo en el pétalo sedeño
de un agavanzo. Y empezó el derroche
de su efímera vida en loco brillo
de vueltas faltas de intención alguna,
para morir, sin conocer la noche,
abatida por piedra de ~~un~~ chiquillo
de las nativas aguas en la cuna.

18 I 11

AUTOGRAFO DEL SONETO "TODA UNA VIDA"

veces en París, otras en Hendaya, en la frontera española, hasta 1929, cuando cae la dictadura de Primo—, y el segundo de romances: *Romancero del Destierro* (1927).

Fué época de bastante actividad poética para Unamuno, como es frecuente que ocurra al poeta cuando un acontecimiento exterior trastorna su vida; se cuenta que llevaba en el bolsillo unos cuadernitos donde iba anotando en verso la emoción del momento. Obra última de dicha labor es el *Cancionero* ya mencionado, que contiene 1.755 poemillas, algunos de los cuales conocíamos con anterioridad a la aparición tardía de dicha colección, por haberse publicado en revistas. La colección lleva el subtítulo de «Diario Poético», fechadas la mayoría de las composiciones que lo integran, cubriendo un espacio de tiempo que va desde el 1 de marzo de 1928, fecha de la primera, hasta el 28 de diciembre de 1936, fecha de la última. Para el admirador del poeta la lectura de esas páginas es penosa en no pocas ocasiones, por lo absurdo, si no grotesco, de muchos de sus versos; pero también hay entre ellos otros donde Unamuno alcanza al fin de su vida la mayor fluidez y gracia lírica.

Los años en que se compuso el *Cancionero,* al menos en su comienzo, eran los mismos en que una nueva generación poética aparecía en España; lo que Unamuno pensaba de los poetas entonces jóvenes podemos presumirlo por cierto malhumorado poemita en el que, con ocasión del tercer centenario de la muerte de Góngora, por aquéllos festejado, les llama «gongorinos de pega»; verdad que el mal humor acaso no se lo provocara tanto aquel fervor gongorista como la deshumanización supuesta (el poemita comienza: «¡Deshumanizad! ¡Buen provecho!»)

en ellos y de la cual sólo era responsable Ortega y Gasset, quien siempre entendió bien poco en cuestiones de poesía, con su teoría de la deshumanización del arte que por esas fechas había elaborado. Escrito probablemente hacia 1927, fué ocasión para Unamuno de expresar su falta de simpatía con la poética de los jóvenes. Y, sin embargo, pudiera decirse que lo que acaso leyó entonces de algunos de dichos poetas va a producir sobre él cierta influencia que le lleva en la práctica a rectificar parte de sus afirmaciones teóricas anteriores sobre poética.

Porque en bastantes poemas del *Cancionero,* como antes indicamos, versifica Unamuno con una fluidez y gracia nuevas en él, al mismo tiempo que su expresión, carente tantas veces de halago verbal, lo adquiere inesperada y tardíamente. Véanse algunos poemas del mismo, como «La Luna y la Rosa», o los que comienzan «Beato trovero lego», «Salamanca, Salamanca», para observar un tipo de influencia nada raro, pero nunca aludido: el de la influencia que pudiéramos llamar «de vuelta», ejercida por los jóvenes sobre sus contemporáneos de más edad. Porque lo que en aquellos años parecía evidente entre las cualidades de los poetas nuevos era precisamente la destreza en el uso del verso y la lindeza afectista de dicción. Por lo demás esa influencia al revés la ejercen también sobre Machado y sobre Jiménez.

Por otra parte, acaso Unamuno, que tanta antipatía había tenido y manifestado hacia Francia y su literatura, se reconciliara con ella en sus años de destierro pasados en tierra francesa; quiero decir que algo de ese halago verbal que aparece en ciertos versos de su *Cancionero* pudiera también deberse a la lectura de poetas franceses, para quienes tradicionalmente la poesía consite sólo en el halago de la dicción. (Esa era la cualidad principal de los versos de Valéry, que por aquellos años entusiasmaban a tantos *snobs*.) Desde luego Víctor Hugo debió hallar en Unamuno cierta simpatía; desterrado junto al mar por causas políticas, como Hugo en Guernesey, el cultivo asiduo de la poesía es el mismo en los dos, y los dos escriben versos satíricos contra sus dictaduras respectivas; hasta físicamente el Unamuno anciano de aquellas fotografías cuando también él, como el poeta francés, cultiva «el arte de ser abuelo», se parece a Hugo.

Y así llega Unamuno en su ancianidad a reconciliarse en lo posible con una poética contra la cual tantas diatribas había lanzado. Cosa curiosa: fué Darío, que tenía tantos motivos para sentirse indiferente, si no hostil, respecto al poeta Unamuno, quien dijo (y eso en años cuando bien pocos hacían caso de los versos de éste) que Unamuno «era sobre todo un poeta»; opinión certera y de quien menos podía esperarse. Sí, Unamuno es ante todo un poeta, aunque los admiradores tempranos de sus obras en prosa no se dieran cuenta de eso, que sólo comprendieron al fin otras generaciones más recientes.

Que Unamuno sea ante todo un poeta se advierte en sus mismos defectos como pensador; los libros filosóficos de Unamuno son obra de poeta porque en ellos la intuición suple a la razón y el paso mesurado del razonamiento lo sustituye el avance brusco e intermitente de la intuición poética. Nada lo probaría mejor que la comparación entre *Del Sentimiento Trágico de la Vida* y cualquiera de su obras (por ejemplo, *El Concepto de la Angustia*) de un filósofo como Kierkegaard, a quien

Unamuno admiraba tanto y con el que tiene algún punto de contacto; Kierkegaard, aunque su mente fuera profundamente poética, procede, sin embargo, en su razonamiento como teólogo y filósofo, sin dejar atrás algo que no quede bien afirmado; todo lo contrario de lo que ocurre en Unamuno. Hay, sin embargo, una obrita de éste, una obra de ficción novelesca, *San Manuel Bueno y Mártir,* donde Unamuno ha resumido y concentrado de modo admirable todo su pensamiento metafísico y poético, y precisamente porque no es obra de razonamiento abstracto. Quien quiera conocer lo que Unamuno sentía, pensaba y creía, compenetrados íntimamente sentimientos, pensamientos y creencias, allí ha de hallarlo expresado como en ninguno de sus escritos. Y esa novelita es obra de poeta.

Su poesía, gran parte de sus obras en prosa, su actitud personal en los conflictos de la realidad española que él vivió, no fueron sino resultado de una necesidad profunda suya, la más profunda que tuviera: su necesidad de Dios. Verdad que en dicha necesidad acaso hubiera una parte poco simpática, que le dictaba su egocentrismo: su manía de ser siempre él, de no dejar de existir después de la muerte física. Si Dios no existiera, él, Unamuno, el poeta, el catedrático, el español y el padre de familia, todo en una pieza, que era en esta vida, cesarían necesariamente un día. Acaso ocurriera en él algo de lo que ocurría a aquel capitán de Dostoiewski, en la novela *Los Poseídos,* que asiste silencioso a una reunión de estudiantes quienes dicuten la existencia de Dios, y cuando los jóvenes han llegado a la conclusión negativa se levanta furioso, toma su gorra y se marcha diciendo:

«¿Cómo puedo entonces yo ser capitán y estar aquí sentado con ustedes, si Dios no existe?» Y en efecto, no es más increíble que exista Dios como que un hombre sea quien es y lo que es.

Parece como si la lucha energuménica que fué la existencia de Unamuno resulte un episodio más en la búsqueda humana de Dios. Un escritor contemporáneo, André Gide, ha escrito que acaso Dios no sea tanto el punto de partida de la humanidad como la meta de ésta; que el esfuerzo de los hombres se orienta hacia la creación de Dios, y de ahí que el término de la humanidad sería el comienzo de Dios. Pero en Unamuno esa lucha por Dios era paralela a la de crearse a sí mismo y no tenía otra causa que la de crearse a sí mismo y creer en sí mismo. En un poema de sus últimos años escribe:

¿Seré mi creador, mi criatura?
¿Seré lo que pasó?

Vivo y afanándose lejos de lo que sólo era actualidad, momento que pasa y no queda, Unamuno esperaba crearse a sí mismo, o al menos crear su mito personal, y ser lo que pasó quedando. Así surge ahora de él, como un hermano inmortal, esa figura trascendente del hombre; aquella de quien, al levantarse desde la muerte hacia el Dios que esperaba, puede repetirse el verso admirable de Mallarmé:

Tel qu'en Lui-même enfin l'éternité le change.

ANTONIO MACHADO

(1876-1939)

Aunque no pueda decirse que la literatura, ni mucho menos la poesía, tengan en nuestro país un público y una crítica, todavía es posible que entre nosotros ocurran a veces cambios en la opinión y el gusto literario. Hacia 1925, cuando cualquier poeta joven trataba de expresar su admiración hacia un poeta anterior, lo usual era que mencionase el nombre de J. R. Jiménez. Salinas, que tendía poco a la exageración, dice, sin embargo, entre las líneas preliminares a la selección de sus versos en la *Antología* (1931) de Diego: «Estimo en la poesía, sobre todo, la autenticidad... Llamo poeta auténtico, por ejemplo, a San Juan de la Cruz, a Goethe, a Juan Ramón Jiménez». Hoy, cuando cualquier poeta trata de expresar su admiración hacia un poeta anterior, lo usual es que mencione el nombre de Antonio Machado. De pronto, en uno de esos virajes que marcan el tránsito de una generación a la otra, la obra de Machado se nos ofrece más cercana a la perspectiva que la de Jiménez. Y es que los jóvenes, y aún los que ya han dejado de serlo, encuentran ahora en la obra de Machado un eco de las preocupaciones del mundo que viven, eco que no suena en la obra de Jiménez.

Machado, que tenía astucia avizora, nos dejó en sus comentarios en prosa bastante que meditar acerca de temas variados: literarios, filosóficos, políticos, enfocados por él con una novedad y una significancia a las que sólo recientemente ha sido posible hacer justicia. Quien esto escribe recuerda que, al aparecer en revista los primeros comentarios de Abel Martín y las primeras notas de Juan de Mairena, allá por 1925, oyó decir a aquel pobre Benjamín Jarnés, en la tertulia de la *Revista de Occidente*: «¿Para qué publica Machado esas notas en prosa, que no tienen interés ninguno?» En dichas notas hacía entonces Machado, sin que nadie se apercibiera, el comentario más agudo de la época; si las comparamos con los libros en que Ortega y Gasset, por las mismas fechas, pretendía diagnosticar el presente y vislumbrar el futuro inmediato, se comprenderá cuál de los dos veía mejor y más claro. Cierto que eso no concierne tanto al poeta que Machado era como al pensador, al intelectual; calificaciones de resonancia pretenciosa que no parecen conllevarse bien con la sencillez irónica que caracterizó siempre su obra.

Es verdad que dichos comentarios no surgen hasta después de publicadas las *Nuevas Canciones* (1925); es decir, cuando el impulso poético ya declina en Machado. Y no faltarán quienes digan que parece remota la relación entre el autor de los poemas contenidos en *Soledades, Galerías* y *Campos de Castilla,* de una parte, y de otra el autor de las notas contenidas en *De un Cancionero Apócrifo* y *Juan de Mairena,* sin que falten tampoco quienes estimen superior al segundo. Y aunque es verdad que no siempre coinciden en Machado el poeta y el crítico de la poesía, también lo es que sus poemas mejores fueron tempranos y sus notas críticas se escribieron por lo menos un cuarto de siglo después. No es de extrañar, pues, si no coinciden ahí poesía y crítica: ésta es resultado de la experiencia del poeta que ha vivido y reflexionado, siempre distante de las modas y círculos literarios de la capital, mientras que los poemas son el fruto primero, aunque prodigioso de intuición y de instinto.

Ya en las palabras que escribió como prólogo al librito *Soledades* (1903), refundido con adiciones en su segunda edición, *Soledades, Galerías y otros Poemas* (1907), nos advierte: «Las composiciones de este primer libro, publicado en enero de 1903, fueron escritas entre 1899 y 1902. Por aquellos años Rubén Darío, combatido hasta el escarnio por la crítica al uso, era el ídolo de una selecta minoría *. Yo también admiraba al autor de *Prosas Profanas,* al maestro incomparable de la forma y de la sensación, que más tarde nos reveló la hondura de su alma en *Cantos de Vida y Esperanza.* Pero yo pretendía —y reparad que no me jacto de éxitos, sino de propósitos— seguir camino bien distinto. Pensaba yo que el elemento poético no era la palabra por su valor fónico, ni el color, ni la línea, ni un complejo de sensación, sino una honda palpitación de espíritu; lo que pone el alma, si es que algo pone, o lo que dice, si es que algo dice, con voz pro-

* Es chocante hallar en Machado esa frasecilla tan pretenciosa como falsa.

pia, en respuesta animada al contacto del mundo. Y aún pensaba que el hombre puede sorprender algunas palabras de un íntimo monólogo, distinguiendo la voz viva de los ecos inertes.» Observación esta última que sin duda le parecía importante, pues que ha de repetirla en dos versos de una composición («Retrato»):

A distinguir me paro las voces de los ecos,
y escucho solamente, entre las voces, una.

Implícita en las líneas citadas hay una crítica del modernismo y de la obra de Darío, crítica benévola, como después aconsejó Machado que debía ser la crítica, pero no por eso menos justa; y al mismo tiempo se marca ahí cuál era la divergencia de Machado con respecto al modernismo. No es necesario insistir en que no fué Machado un poeta modernista; lo que acaso tenga interés, por eso mismo, es indicar alguno de los momentos raros en que su poesía se acerca al modernismo, como en la composición LII («Fantasía de una Noche de Abril») de *Soledades*

En el prólogo a *Campos de Castilla* (1912) también dice algo que conviene recordar: «Pensé que la misión del poeta era inventar nuevos poemas de lo eterno humano, historias animadas que, siendo suyas, viviesen no obstante por sí mismas. Me pareció el romance la suprema expresión de la poesía, y quise escribir un nuevo Romancero. A este propósito responde «La Tierra de Alvargonzález». Muy lejos estaba yo de pretender resucitar el género en su sentido tradicional. La confección de nuevos romances viejos —caballerescos o moriscos— no fué nunca de mi agrado, y toda simulación de arcaísmo me parece ridícula... Mis romances no emanan de las heroicas gestas, sino del pueblo que las compuso (sobre estas palabras de Machado volveremos luego) y de la tierra donde se cantaron; mis romances miran a lo elemental humano, al campo de Castilla... Muchas composiciones encontraréis ajenas a este propósito que os aclaro. A una preocupación patriótica responden muchas de ellas; otras al simple amor de la naturaleza, que en mí supera infinitamente al del arte».

Ya en dichas palabras, publicadas en 1912, asoma una creencia de Machado que no sé si sería poco delicado llamar manía, porque cuanto más caprichosa parece, tanto más se aferra a ella: la de creer en un «arte del pueblo». Sabido es el origen germano y romántico de esa creencia, que parte de la asunción de cómo los poemas épicos medievales, en cada literatura moderna, son obra del pueblo. Que las gestas épicas primitivas las hiciera suyas el pueblo, no es de extrañar, puesto que lo que expresaban era la conciencia nacional naciente, y el pueblo podía así sentirse identificado con ellas; ahora, que las escribiese el pueblo, es otra cuestión muy distinta, y repetirla sin más equivaldría a tanto como decir que la religión de una nación la creó el pueblo, o que la política primitiva de una nación la dirigió el pueblo. En la vida todo es obra de uno o varios individuos (que no componen una minoría, ni mucho menos una minoría «selecta»), y el resto es indiferente si no hostil; hasta que con el paso del tiempo, y con suerte, la repetición de aquellos actos, por sus creadores mismos o por sus seguidores, hace que queden entonces tácitamente aceptados por todos como legítimos, cuando han perdido ya su valor original. Mucho más en arte, donde referirse a un «arte popular» no puede tener otro sentido que el de designar un arte con el cual el pueblo, en ciertos momentos, en determinadas circunstancias, se identifica; pero en modo alguno que lo cree él mismo. Sin embargo, en el caso de Machado, tenemos a veces que aceptar sin más dicha opinión, por absurda que nos parezca, y aun tratándose de un hombre de inteligencia clara y poco propicia a los prejuicios. Que Machado no mencione a Garcilaso y en cambio se extasíe ante cualquier coplilla andaluza es un ejemplo extremo de los disparates en que pueden incurrir hasta las gentes más razonables y sensatas.

En las líneas antes citadas hay algunas indicaciones acerca de sus motivos de inspiración poética: uno es el del campo castellano, otro el de la preocupación patriótica y el último es el del amor a la naturaleza; ahora, puesto que el campo de Castilla es naturaleza, podemos reducir a dos esos motivos de inspiración. La preocupación patriótica, como vimos al hablar de Unamuno, no es exclusiva de Machado; en cuanto al amor a la naturaleza, como veremos al hablar de Jiménez, también con éste la comparte Machado. Pero si comparamos los poemas de inspiración patriótica o nacional de Unamuno con los de Machado, hallaremos que el primero exalta sin crítica, mientras que el segundo lleva implícita en sus versos la crítica nacional. Otra diferencia ocurre si comparamos los poemas de Jiménez y Machado inspirados en la naturaleza; los del primero son paisajes sentimentales, en cambio los del segundo adquieren a veces una trascen dencia metafísica que no existe en Jiménez.

Para una tercera edición del libro *Soledades, Galerías y otros Poemas,* escribe Machado en 1919 otro prólogo. donde dice, refiriéndose al momento en que el libro se compuso, que era el fin del siglo: «La ideología dominante entonces era esencialmente subjetivista; el arte se atomizaba y el poeta... sólo pretendía cantarse a sí mismo». Luego, aludiendo a la transformación de la sociedad, añade: «Los defensores de una economía social definitivamente rota seguirán echando sus viejas cuentas y soñarán con toda suerte de restauraciones; les conviene ignorar que la vida no se restaura, ni se compone como los productos de la industria humana, sino que se renueva o perece». Cito estas últimas palabras, aunque ellas nos apartan un poco del comentario aquí intentado, exclusivamente literario, porque nos orientan ya hacia la actitud que Machado tomaría durante la guerra civil. Frente a lo tornadizo de tantos de sus compañeros de generación, que fácilmente renegaron o pretendieron olvidar sus palabras y sus obras anteriores, Machado fué ejemplo de fidelidad a sus creencias, aunque algunos pudieran pensar que se excedió un poco y fué más allá de lo que esa fidelidad exigía de él.

Lìneas atrás dijimos que los poemas mejores de Machado fueron tempranos, es decir, que entre los reunidos, en *Soledades* está lo mejor del poeta. Cosa curiosa: Machado nace formado enteramente, y el paso del tiempo nada le añadirá, antes le quitará; no es que en las colecciones siguientes no encontremos poemas de tipo distinto, porque ya vimos cómo en *Campos de Castilla* aparecen los temas de inspiración nacional, ausentes de la colección anterior. En ésta, o sea, en *Soledades,* hallamos poemas de «lo eterno humano», según la frase del propio autor; en *Campos de Castilla* vive y expresa su tiempo. Preferir entre uno y otro tipo de poesía es cosa enteramente personal, y no tiene otro motivo que la maestría técnica alcanzada aquí o allá por el poeta, según el criterio del lector. En *Campos de Castilla* asoma uno de los temas del 98 que más han envejecido: la preocupación castellanista; preocupación que lleva a Machado, y sobre todo a sus críticos primeros, a negar su condición de andaluz, de donde precisamente le llegó siempre lo mejor de su poesía. A diferencia de lo que ocurría en nuestra literatura durante los siglos clásicos, cuando los mayores poetas, con rara excepción, eran castellanos, desde Bécquer acá ocurre precisamente que los mayores poetas, con excepción más rara todavía, son andaluces. En *Soledades* vemos el entronque de Machado con la tradición becqueriana:

A la desierta plaza
conduce un laberinto de callejas.
A un lado, el viejo paredón sombrío
de una ruinosa iglesia.

Todo ahí, lenguaje, ritmo, visión, procede de Bécquer; unas veces más evidente, otras más escondido, dicho parentesco aparece en el mejor Machado, cuando aún no caía en la manía folklorista.

Entre los poemas de su primera colección, como los que llevan los números VII («El limonero lánguido sus-

ANTONIO MACHADO

ANTONIO Y MANUEL MACHADO

pende»), XI («Yo voy soñando caminos»), XVI («Siempre fugitiva y siempre»), XXI («Daba el reloj las doce»), XXVIII («Crear fiestas de amores»), XXX («Algunos lienzos del recuerdo tienen»), XXXIII («¿Mi amor?... ¿Recuerdas, dime?»), LXXVIII («¿Y ha de morir contigo el mundo mago?»), donde conseguirá Machado expresar admirablemente lo que es el mundo para el poeta y lo que el poeta es para el mundo, y LXXXVIII («Tal vez la mano en sueños»), está lo mejor, lo más hondo y perfecto que alcanzó a escribir. Son dichos poemas súbitas vislumbres del mundo, juntos ahí lo real y lo suprasensible, con una identificación alcanzada raramente.

Cierto que en *Campos de Castilla* traza paisajes espirituales de España que tienen una grandeza innegable, y que el afán transformador del poeta ve a su tierra con una visión que será o no conforme con la nuestra o con la verdadera realidad espiritual española, pero a la cual la urgencia y sinceridad que tienen en Machado les da una justificación. Recuérdense, por ejemplo, los poemas que en dicha colección llevan los números CI («El Dios ibero»), tan unamunesco de intención; CXXXV («El mañana efímero»), de un tono irónico que recuerda a veces a Campoamor y anuncia otras el verso esperpéntico de Valle-Inclán, y CXLIV («Una España joven»). Pero acaso en unos pocos versos pueda Machado decir más que en esos otros de mayor extensión, como ocurre en el poemilla LIII («Ya hay un español, que quiere»), de la serie «Proverbios y Cantares», en *Campos de Castilla*. También figura en dicho libro la composición número CXXVIII («Poema de un día. Meditaciones rurales»), que en su fluir espontáneo de conciencia e inconsciencia es un anticipo de lo que años más tarde se llamaría «monólogo interior»; su tono coloquial, su prosaísmo deliberado, que se levanta así más efectivamente en ciertos momentos, la ironía que corre bajo los versos, el ritmo tomado de las *Coplas* de Manrique y que con destreza se adapta a tema bien distinto, hacen de ella una de las más significativas de su obra. En cambio, el poema «La tierra de Alvargonzález» me parece un fracaso; la atomización y el subjetivismo de la lírica de aquel tiempo, limitaciones a las que él mismo alude, con palabras que ya citamos, acaso tuvieron demasiado alcance en su espíritu para poder luchar satisfactoriamente contra ellas, como pretende en dicho poema. Es nebuloso y vago, y el lector se pierde por sus versos como el viajero por el campo envuelto en niebla. (Claro, es posible que mi opinión esté equivocada; recuerdo que a Lorca la gustaba el poema en cuestión y hasta hizo de él una versión dramática que representó alguna vez una compañía de aficionados.)

Trece años después de *Campos de Castilla* aparecen las *Nuevas Canciones* (1925), libro que nada nuevo añade a lo que ya había publicado. Es cierto que hay entre sus composiciones alguna, como la primera del libro, «Olivo del Camino», cuyo tono neoclásico es extraño en el poeta. Y poemitas donde no sé si sería justo decir que asoma cierto eco de la lírica que entonces escriben y publican algunos poetas de la generación nueva; por ejemplo, las «Canciones del Alto Duero», entre otras, que recuerdan algunos poemillas de Alberti en su libro primero *Marinero en Tierra.* Pero también hay epigramas líricos que muestran la maestría expresiva de Machado, quien con tres versos dibuja la inmensidad marina nocturna:

Junto al agua negra.
Olor de mar y jazmines.
Noche malagueña.

Es una «soleá», pero también parece un hai-kai, cuya moda había llegado a nuestra poesía, favorecida por las greguerías de Gómez de la Serna.

Los poemas que después ha de escribir Machado siguen las dos tendencias divergentes marcadas en *Nuevas Canciones*: poemas formalistas, como los sonetos, que en Machado, poeta nada formalista, son de escaso interés, y composiciones breves cada vez más inspiradas en lo folklórico, a las cuales podemos incorporar los poemillas sentenciosos y aforísticos, campoamorinos a veces. No sé hasta qué punto debemos culpar a la manía folklórica de extinguir los dones poéticos de Machado; pero sea por influencia nociva de lo «popular», sea por agotamiento de sus facultades líricas, los poemas que ahora escribe son de valor poético inferior. El poeta se había acabado antes que el escritor, pues entonces es cuando compone las notas contenidas en *De un Cancionero Apócrifo* y *Juan de Mairena.*

Según dichas notas, para Machado «la poesía es el diálogo del hombre, de un hombre con su tiempo. Eso es lo que el hombre pretende eternizar, sacándolo del tiempo, labor difícil y que requiere mucho tiempo, casi todo el tiempo de que el poeta dispone». Una y otra vez insiste en la importancia del tiempo para el poeta: «¿Por qué cantaría el poeta sin la angustia del tiempo?» «Es la poesía palabra en el tiempo». Juan de Mairena es «el poeta del tiempo». «El poeta pretende, en efecto, que su obra trascienda de los momentos psíquicos en que es producida. Pero no olvidemos que precisamente en el tiempo (el tiempo vital del poeta con su propia vibración) lo que el poeta pretende intemporalizar, digámoslo con toda pompa: eternizar» *. «El poema que no tenga muy marcado el acento temporal estará más cerca de la lógica que de la lírica». «Una intensa y profunda impresión del tiempo sólo nos la dan muy contados poetas». Subraya esa temporalidad, como requisito esencial del poema, oponiendo Calderón (por el cual Machado, aun sintiendo respeto, carece de simpatía) a Jorge Manrique (para Machado el poeta español más admirable); escoge del primero, como ejemplo, el soneto a unas flores, «Estas que fueron pompa y alegría», de *El Príncipe Constante* (sospecho que Machado apenas debió leer a Calderón, y precisamente la muestra que da de su poesía, el soneto citado, es la única que se encuentra de él en la tan lamentable como difundida colección *Las Cien Mejores Poesías Líricas,* compilada por Menéndez y Pelayo), y del segundo la estrofa «¿Qué se hicieron las damas?», de las *Coplas,* para concluir que los versos de Calderón quedan fuera del tiempo, mientras que los de Manrique fluyen con él. «En cuanto nuestra vida coincida con nuestra conciencia, es el tiempo la realidad última». Pero en

* Es curioso comparar esas palabras de Machado con otras de un místico musulmán citadas por Massignon: «Hallach paseaba un día con sus discípulos por una calle de Bagdad cuando les sorprendió el sonido de una flauta exquisita. «¿Qué es eso?», le preguntó uno de los discípulos. Y él responde: «Es la voz de Satán que llora sobre el mundo.»

»¿Cómo hay que comentarlo? ¿Por qué llora sobre el mundo? Satán llora sobre el mundo porque quiere hacerlo sobrevivir a la destrucción; llora por las cosas que pasan, mientras caen y sólo Dios permanece. Satán ha sido condenado a enamorarse de las cosas que pasan y por eso llora.»

esa temporalidad, que es para Machado condición primaria de la poesía, podemos suponer algo diabólico, ya que el infierno es «la espeluznante mansión del tiempo, en cuyo círculo más hondo está Satanás dando cuerda a un reloj gigantesco por su propia mano».

Las frases citadas no son sino indicio de un pensamiento metafísico que podemos suponer tras de la poesía de Machado. «Todo poeta (dice, atribuyendo sus palabras a Juan de Mairena) supone una metafísica; acaso cada poema debiera tener la suya —implícita, claro está, nunca explícita—, y el poeta tiene el deber de exponerla, por separado, en conceptos claros». Recuérdese que Goethe dijo más o menos lo mismo, aunque aclarando que dicha metafísica no era necesario que fuese original del poeta, sino que éste, para sus propios fines, podía tomarla de algún filósofo, como hizo él con Spinoza. En cuanto al lenguaje poético, Machado es partidario decidido del lenguaje hablado. «Si dais en escritores, sed meros taquígrafos de un pensamiento hablado». «El encanto inefable de la poesía, que es, como alguien certeramente ha dicho, un resultado de las palabras *, se da por añadidura en premio a una expresión justa y directa de lo que se dice». «Sabed que en poesía —sobre todo en poesía— no hay giro o rodeo que no sea una afanosa búsqueda del atajo, de una expresión directa».

No es seguro que el prestigio grande de que hoy goza

* No sé si Machado alude ahí a cierto diálogo conocido entre Mallarmé y Degas. Como éste se quejara de la dificultad de la poesía con respecto a la pintura, aduciendo que hacía tiempo tenía entre manos un soneto que no podía terminar, dice a Mallarmé: «Y lo que es ideas no me faltan.» A lo cual responde Mallarmé: «Mi querido amigo, los versos no se escriben con ideas; se escriben con palabras.»

la obra de Machado resista intacto al paso del tiempo; pero acaso sí lo sea que el lector venidero de su poesía encuentre en ella algún eco vivo a cierta angustia de «lo eterno humano», que entre muchos inolvidables versos suyos podemos cifrar en aquel donde se nos muestra «siempre buscando a Dios entre la niebla».

JUAN RAMON JIMENEZ

(1881)

Cuando Paul Valéry visitó Madrid en el año 1924, hubo de escribir ciertos versos de circunstancias, para corresponder con ellos a una atención de J. R. Jiménez; éste, enviándole un ramo de rosas, se había disculpado de no asistir a ninguno de los actos en que intervino el poeta francés, por su desagrado de las ceremonias públicas. Valéry, que negó siempre el juego de la inspiración en su trabajo de poeta, no sabía al escribir dicho poemita cómo la inspiración le llevaba a decir algo importante respecto de su colega español, acerca del cual él nada conocía.

«Otra vez la puerta cerrada», primer verso del poema en cuestión, parece, en efecto, símbolo de la actitud de Jiménez frente a la vida. «Yo tengo escondida en mi casa, por su gusto y el mío, a la Poesía, como a una mujer hermosa; y nuestra relación es la de los apasionados», escribió Jiménez en cierta ocasión. Claro que a quien ha podido esconder en su casa a la poesía, o cree haberla escondido, ¿qué le importa la vida? Sobre todo cuando ese quien estuvo siempre predispuesto a menospreciarla. Ya en una nota autobiográfica, publicada por la revista *Re-*

nacimiento (1907), escribe Jiménez: «La indiferencia más absoluta por la vida.»

Aunque algo retrasada entonces, esa había sido actitud frecuente entre algunos escritores durante el fin de siglo (actitud de la cual se burló sutilmente André Gide en su librito *Paludes*); desdén por la vida que dictó a Villiers aquella frase de: «¿Vivir? Nuestros criados se encargarán de eso». Para Jiménez, a quien alguien más allegado a él que un criado se encargó siempre de «vivirle», dicha actitud responde a un rasgo principal de su carácter y por eso perdura en él aunque pasara de moda.

Toda su vida ha sido vida de enclaustrado: encierro en Moguer durante sus años juveniles; encierro luego en la Residencia de Estudiantes, Madrid; encierro en su casa después de casarse; para no aludir al encierro en el Sanatorio del Rosario, del doctor Simarro. Desde su torre de marfil (me molesta la frase, pero justamente debo emplearla aquí) puedo otear allá abajo a los hombres que se afanaban miserablemente y cuyos afanes nunca compartió ni le interesaron. Recuérdense cuántas cosas han acaecido en España y en el mundo durante el gran lapso de tiempo que Jiménez lleva de vida; pues ninguna de ellas pudo hacerle sentir remordimiento de su actitud inhumana. El individuo Juan Ramón Jiménez es para él la medida de todo y todo debe subordinársele.

Otro rasgo dominante hallamos pronto en él; pero éste se refiere a su actitud estética así como el anterior a su actitud vital. En una «Carta» publicada en el número 6 de la revista *El Hijo Pródigo,* escribe Jiménez estas palabras que traduce de Santayana y suscribe: «Mi verdadero poeta es el que coge el encanto de cualquier cosa, cualquier algo, y deja caer la cosa misma»; anteponiendo a ellas otras suyas: «Lo que siempre me tienta es la sensación que un fenómeno produce» *. Impresionismo es la denominación histórica de dicha actitud; mas aunque tengamos en cuenta las modas literarias y artísticas del fin de siglo, en lo que respecta al origen de la misma, no basta para explicar su persistencia en Jiménez una vez pasado el momento de boga. Subsiste en él porque, lo mismo que la actitud vital ya mencionada, responde a otro rasgo principal de su carácter: el subjetivismo egotista.

Jiménez rara vez ha mostrado curiosidad intelectual por sorprender lo que haya bajo la apariencia; ese atenerse a sus impresiones, ese conocer por sensaciones le bastó siempre. Es quizá el único escritor español de su tiempo para quien intelecto, pensamiento, razón, fueron nombres y nada más; ha vivido como si la inteligencia, que guía al hombre descubriendo lo que hay de verdadero tras de una impresión, lo que hay de objetivo tras de nuestra opinión subjetiva, no fuera cualidad humana. Inquietud religiosa, ocioso es añadir, jamás la tuvo; y cuando influído por la labor de poetas más jóvenes, para quienes Dios ha sido algo más que una palabra del vocabulario poético, también Jiménez ha querido hablar de Dios, el resultado fué blasfemo, más por inconsciencia de lo divino que por intención deliberada. No sería ge-

* Me parece difícil que Jiménez ignorase cómo esas palabras de Santayana, así como las otras suyas, no son sino traducción de unas de Mallarmé: «No pintar la cosa, sino el efecto que produce.» El verso no debe, ahí, componerse de palabras, sino de intenciones, y todas las palabras borrarse ante la sensación.

neroso insistir en este punto, ni recordar aquellos momentos en que Jiménez quiso usar en el verso de términos abstractos con prurito de expresión filosófica.

Aparece Jiménez en la vida literaria hacia 1900 con dos libros: *Ninfeas* y *Almas de Violeta,* durante el apogeo del modernismo, cuya influencia sufre y subsistirá siempre en él, aunque soterrada. Cierto que, como ocurre con otros poetas españoles de aquel momento, la influencia modernista actúa a manera de indicación en su camino: una indicación que señala a Francia. Una vez así orientados por el modernismo, pronto dichos poetas buscan directamente en la poesía francesa aquello que les interesaba. Lo que a Jiménez le interesaba eran los simbolistas menores (con la excepción de dos mayores: Verlaine y Laforgue). En la cubierta de uno de sus libros amarillos, *Jardines Lejanos,* señala en 1904 los nombres de sus poetas preferidos; a saber, entre los de lengua francesa: Moréas, Verlaine, Samain, Musset, Rodenbach, Maeterlinck, Fort, Laforgue, Jammes. A Baudelaire, uno de los mayores poetas modernos, y no sólo de Francia, no lo menciona; verdad que ni Darío ni el modernismo lo tuvieron entre sus penates. Pero esa ausencia, juntamente con la mención de Musset, son significativas en la formación de Jiménez. Entre los poetas favoritos de otras lenguas cita a Heine, Poe y Rossetti (Dante Gabriel, no Christina).

Bastantes años más tarde, entre las notas que iban al frente de sus versos, en la antología *Poesía Española* (1915-1931) compilada por Diego, dice, refiriéndose a sí mismo: «Baja de Francia», palabras que podemos interpretar como indicación de que a partir de un momento determinado, tal vez hacia 1916, más o menos, dejó de interesarle la poesía francesa. Sin discutir ahora lo que pueda haber de verdad en dicha indicación, sí es cierto que hacia 1916 entra en su vida alguien que le orientará en la poesía de lengua inglesa, de la cual Jiménez hasta entonces debía conocer poco. En dichas notas de ahora una nueva lista de poetas leídos por él entre 1902 y 1905; a saber: Shakespeare, Shelley, Browning, Heine, Goethe y Hölderlin. Al comparar esta segunda lista con la primera vemos que, excepto Heine, ninguno de dichos nombres figuraban en ella; ya que en otra ocasión expliqué que Jiménez no pudo leer a Hölderlin en 1902 por la simple razón de que entonces no había edición del mismo. Esta segunda lista retroactiva de lecturas juveniles, compuesta con unos veinticinco años de retraso, parece indicar falta de memoria en quien la compuso, y proyectar bastante atrás en el pasado las lecturas que Jiménez sólo pudo hacer, si es que alguna vez las hizo, hacia 1920 o 1930.

Dos frenos le contienen frente al modernismo: lo que conocía de la poesía francesa, donde sus predilecciones no eran las del modernismo, y lo que conocía de la poesía española. Y si casi no cae en el uso de algunos de los temas típicos del modernismo, tampoco usó de sus innovaciones métricas, y si las usó fué sólo en sus comienzos. La forma métrica predilecta de Jiménez en su primera etapa es el romance, que tampoco abandona en la segunda; el romance, que los modernistas no usan. El romance típico existía bastante antes de Jiménez; aparte de los romances líricos viejos, Meléndez y Cienfuegos los escribieron en el siglo XVIII y Bécquer en el XIX. Pero en los romances de *Pastorales* (1911), uno de los mejores libros de su primera etapa, el metro y la visión campestre, que es el tema recurrente en cada una de las composiciones, se funden con gracia y ligereza nuevas. Verdad que también Machado usa el romance para expresar con más trascendencia metafísica, su visión de la naturaleza.

De otros metros clásicos Jiménez prescinde enteramente, como por lo demás también han de prescindir los poetas españoles de aquel tiempo; hagamos, como con Unamuno, la excepción del soneto, que Jiménez utiliza según su forma tradicional, a diferencia del soneto heterodoxo del modernismo, en los *Sonetos Espirituales*. Su métrica, aunque use tanto del alejandrino (estrofas aconsonantadas de cuatro versos) en libros de su primera etapa como *Laberinto* (1913), procede por lo general de Bécquer y del folklore poético andaluz; no es tanto que use las combinaciones métricas de Bécquer como que «suene» a Bécquer. A partir del *Diario de un Poeta recién casado* va a usar del verso libre; un verso libre balbuceante, muy distinto del de Lorca, Alberti y Aleixandre, y hasta *Poeta en Nueva York, Sobre los Angeles* y *Espadas como Labios* no se puede decir que aparece propiamente el verso libre en nuestra poesía. El consonante lo emplea Jiménez en la primera etapa de su labor, aunque menos quizá que el asonante; y en la segunda el asonante, aunque menos que el verso sin rima.

¿Puede un poeta después de unos quince años de labor rechazar ésta enteramente como si no la hubiera escrito? O mejor dicho: ¿es lícito hacer eso? Porque hacia 1915 decide Jiménez considerar todas las cosas que ha escrito y publicado, a lo más, como «borradores silvestres» de la obra que se propone realizar a partir de dicha fecha. Téngase en cuenta que la labor repudiada la escribió en un período de su vida que llega hasta los treinta y cinco años más o menos; es decir, que no se trata de un libro primerizo en el que su autor no se reconoce más tarde, sino de la labor de bastantes años, entre los cuales se encuentran algunos que corresponden a los de plenitud en la vida de cualquier poeta. Esos numerosos libros (son unos quince), que Jiménez había ido publicando anualmente desde 1900 hasta 1913, adolecen ciertamente de muchos defectos que trata de rectificar más tarde, aunque sólo para que reaparezcan (*Chassez le naturel, il revient au galop*) de otra forma. Las gentes de mi generación pudieron conocer aún dichos libros; hoy supongo difícil hallar ejemplares de ellos y los jóvenes sólo encontrarán, si tienen curiosidad de leerlos, la selección corregida que Jiménez ha dado en diversas antologías. Había en ellos una poesía semimodernista, sentimental en exceso, con afectado aire de inocencia

A las pobres novias muertas
dale, Jesús, un jardín
lleno de rosas abiertas
y de besos grandes. Fin.

monótona por la frecuencia de su reaparición en libro a intervalos regulares y el enclaustramiento en que vivía su autor, replegado sobre sí mismo como un Buda sobre su ombligo, y además una complacencia del poeta para consigo que subsistitirá a lo largo de toda su obra.

Si el amor, o más bien la nostalgia del amor, ocupa algún lugar entre los temas de sus versos en esos años, el campo ocupa lugar más importante. En una de las composiciones de aquel tiempo alude Jiménez a su voz poética como a la de un «humilde ruiseñor del paisaje», lo cual, si exceptuamos la humildad, es exacto. Pero son paisajes de un impresionismo sentimental, paisajes, «estado de alma», como se decía entonces conforme a la frase de aquel insoportable Amiel a quien Jiménez menciona en 1931 como lectura juvenil (esta vez no podemos dudar de que sea cierto) y cuyo espíritu me parece asemejarse al suyo. El amor, dada la esterilidad afectiva de Jiménez, había de resultar en él sólo literatura; y si habla de amor, las criaturas a quienes parece aplicarse, las Rocío, Estrella, Francina, Marthe o Denise, son sombras incorpóreas, fantasmas a los que el poeta da un nombre. Cuando al fin, una mujer de carne y hueso aparece en su vida, pronto escribe en el *Diario de un Poeta recién casado,* a los pocos días de su boda, estos versos reveladores:

Qué trabajo me cuesta
llegar, contigo, a mí,

como si la relación amorosa fuera un obstáculo al acostumbrado estar consigo del poeta. En amor, como en todo, Jiménez tuvo bastante consigo mismo.

Los poemas breves en alejandrinos de *Melancolía* (1912) y *Laberinto* no deben tanto sus temas a la naturaleza como a ciertas escenas íntimas elegantizadas en la visión del poeta; unas veces es el salón, con los libros

ANTONIO MACHADO Y SU ESPOSA
EL DIA DE LA BODA.-1909

JUAN RAMON JIMENEZ CON 29 AÑOS.-1910

JUAN RAMON JIMENEZ CON 35 AÑOS.-1916

JUAN RAMON JIMENEZ EN EL
PARQUE MADRILEÑO DEL RETIRO

amarillos (probablemente los del *Mercure de France*), la araña, el piano, las flores; otras es el jardín; otras nuevamente los paisajes, pero ahora contemplados desde la ventanilla de un tren: ciudades, balnearios, playas, todo estilizado, aunque con algún toque naturalista de época, ya sea «el landó forrado de viejo raso malva» (color predilecto de Jiménez, colorista siempre en sus escritos, a veces inoportunamente) o el corsé que la amada se viste o se desviste. Todo ello expresado con un número considerable de adjetivos vagos y desmedidos: «infinito», «inefable», «eterno». Acaso ese tipo de versos fuera lo que dió pie a Gómez de la Serna para un interesante estudio sobre «Lo Cursi». Un libro en prosa muy conocido, *Platero y Yo,* resume temas y actitudes favoritos del poeta en esa primera etapa de su labor.

Hacia 1916 hay en la obra de Jiménez un cambio. Al impresionismo sentimental de sus libros va a suceder, aunque no sin transición, transición que marcan tres libros: *Estío* (1915), *Sonetos Espirituales* (1917), *Diario de un Poeta recién casado* (1917), un impresionismo intelectual. Téngase en cuenta que este cambio es más bien superficial, puesto que el poeta sigue fiel a la motivación subjetiva de sus temas, a su pequeño mundo interior; y por tanto que la monotonía es la misma de antes y el mismo también el ambiente enrarecido que en sus versos se respira. Pero conviene aclarar la calificación de impresionismo intelectual, ya que antes dijimos que el intelecto tiene papel subalterno en Jiménez. No es que ahora ascienda a otro más importante, sino que si primeramente la sensibilidad recibía y respondía las impresiones físicas exteriores, ahora recibe y responde las del mundo interior. Sus poemitas nuevos expresarán una y otra vez la curva huidiza de una emoción solitaria, el contorno ideal de su existencia retraída, pero roto y disperso en fragmentos de verso. Es una suerte de diario poético; y su sensibilidad se convierte en aparato sutil que registra, en verso o en prosa, todo aquello que puede rozarla fugitivamente en medio de tal existencia fantasmal, aislado el poeta de la realidad y del mundo de los hombres. Es como la imagen reflejada en un lago entre montañas, que es siempre la misma y lo único que cambia en ella es la luz que a horas distintas la colora.

Técnicamente usará de un verso libre entrecortado y la rima casi desaparece, aunque al mismo tiempo use de los metros de arte menor asonantados, remedo a su manera de lo folklórico, como también ocurre en la poesía de Machado y por los mismos años que ocurre en Jiménez; así podríamos verlo en dos libros gemelos, *Eternidades* (1918) y *Piedra y Cielo* (1919). Pero conviene indicar algo respecto al origen del cambio en su orientación poética.

En las líneas preliminares del *Diario de un Poeta*, dice: «No el ansia de color exótico, ni el afán de *necesarias* (Jiménez es quien subraya) novedades». No cabe dudar que las novedades poéticas le aparecían a esa fecha como necesarias. Jiménez, que a pesar de su aislamiento tuvo buen olfato para husmear los cambios de gusto en la opinión literaria, acaso vió en el ultraísmo, movimiento sin valor que remedaba entre nosotros entonces al futurismo y otros similares, una indicación de que el modernismo y las exquisiteces fin de siglo tocaban a su término. Hay en el *Diario,* aunque sólo sea ocasionalmente, algo que marca en su autor noticia del ultraísmo.

Dos antologías, las *Poesías Escojidas* (1917) y la *Segunda Antolojía Poética* (1922), al volver sobre los quince libros anteriores del autor y presentar la obra antigua seleccionada y corregida juntamente con la nueva inédita, son como una recapitulación en mitad de su vida. Puesto que la primera de las dos antologías indicadas era de tirada limitada, publicación extranjera y precio elevado, sólo a la otra puede acudir el lector. Es libro capital entre los de Jiménez.

Dos libros nuevos, *Poesía* (1923) y *Belleza* (1923) publicará luego; libros en cierto modo también antológicos, si es verdad como se dice en ellos que representan la labor de varias obras inéditas de aquellos años. Luego preferirá el poeta presentar en cuadernos de hojas sueltas, *Unidad* (1926), *Sucesión* (1932), *Presente* (1934), de título y formato variables para cada serie, muestra de sus escritos, confundiendo antiguo y nuevo (más lo primero que lo segundo), prosa y verso. El trasvasar y mezclar de lo viejo corregido y lo nuevo por corregir completa la confusión de textos, que bastantes veces es de sospechar antidatados en varios o muchos años, por motivos que sólo el autor conoce. En 1936 comienza la publicación de sus obras completas, agrupadas por géneros en cada volumen, dislocando así todavía más el orden de su labor, aunque sólo viera la luz *Canción,* volumen primero y único que tuvo la colección.

Aparte de otras antologías menores, «para niños», tres libros más en verso, publica después Jiménez: *La Esta-*

ción Total (1939), *Romances de Coral Gables* (1942) y *Animal de Fondo* (1949), además de uno en prosa. *Españoles de tres Mundos* (1943), aunque el contenido del primero y el último de dichos libros estaba ya publicado anteriormente en los cuadernos de *Unidad, Sucesión* y *Presente.*

Los versos primeros de Jiménez eran a veces demasiado fáciles; los segundos son a veces demasiado oscuros, acaso innecesariamente oscuros, con oscuridad «querida», remedo de la de algunos poetas herméticos en boga por aquellos años entre las dos guerras del 14 y 39. Pero la oscuridad en Jiménez es externa, más bien de dicción que de concepto; el número de incisos y paréntesis dentro de la frase, la acumulación de adjetivos para un sólo substantivo, la rebusca de lo que quiere decir después de haber comenzado ya a decirlo, son trabas a la nitidez de contorno en el poema; por otra parte la fragmentación del mismo subraya dichos defectos, así que a la falta de contorno se une la falta de composición. Que Jiménez acaso sea consciente de dicha falla en su obra lo prueba el intento de corregir versos escritos bastantes años antes, ya que no es posible corregir un poema antiguo sin romper su contorno, ni tampoco yuxtaponerle otro.

Hace ya algún tiempo que Jiménez, bajo la influencia de poetas más jóvenes, abandonó los incisos y paréntesis a que tan dado era, usando en el verso expresión menos hermética; al mismo tiempo desaparecieron ciertos amaneramientos tipográficos, aunque subsista la ortografía fantasista *. De ahí que acaso sea posible hablar de una

* Ortografía que respeto en los títulos de obras y citas de Jiménez hechas en este estudio.

tercera y última manera; aunque lo más justo sería hablar de una subdivisión de la segunda etapa, ya que el cambio es simplemente una modificación externa de la manera segunda. Como ocurre al ver sin maquillaje una cara que sólo bajo él conocíamos, nos sorprende ahora en el verso de este poeta cierto decaimiento; hay en los poemas nuevos que hace algún tiempo publica Jiménez, ya sea en revista, ya sea en libro, falta de intensidad y de vigor poéticos: la fatiga del tiempo es ya visible.

En su segunda etapa Jiménez ha publicado alguna prosa, raramente recogida en volumen; entre ella ciertos aforismos de los que pueden deducirse varios preceptos de poética. Las notas que acompañaban a la *Segunda Antolojía Poética* incluyen una acerca del arte popular, que choca con la superstición artístico-popularista española: «No creo —dicho sea aquí sólo de paso— en un arte popular esquisito —sencillo y espontáneo—. Lo esquisito que se llama popular, es siempre, a mi juicio, imitación o tradición inconsciente de un arte refinado que se ha perdido». Otra de sus observaciones interesantes de recordar es ésta: «Escribo como mi madre hablaba», con lo cual parece indicarnos la relación que hay entre la lengua del poeta y sus ascendientes; que la lengua no es sólo creación del poeta, sino que en ella suenan ecos de gentes que existieron antes y a quienes su vida está profundamente ligada. Y no quiero dejar de citar, por último: «Quien escribe como se habla irá más lejos en lo porvenir que quien escribe como se escribe»; palabras que van en el mismo sentido que unas de Machado sobre el mismo tema *. Ambas observaciones, la de Machado y la de Jiménez, son muy justas y fueron probablemente escritas en aquellos años cuando la *Revista de Occidente* se desencadenaba contra el idioma español con la pedantería e ignorancia gemelas que caracterizaban el lenguaje de sus colaboradores habituales y traductores.

Claro que una cosa son los preceptos y otra la práctica de los mismos. Jiménez raramente se atuvo a su precepto tardío de escribir como se habla; recuérdese, entre otros, aquellos versos de un poema suyo reciente:

Volcán que traslaticio
como un total cometa

o tantos pasajes de su prosa. No insistamos en ello. Acaso la imposibilidad de atenerse a la lengua hablada, como modelo de la lengua escrita, se debe a cierta confusión en su pensamiento, el cual sólo aparece en sus escritos, si aparece, a la zaga de la palabra, y cuya premiosidad se quiere disimular a fuerza de presión retórica.

Durante bastantes años, cuando precisamente publica Jiménez sus mejores libros, el *Diario de un Poeta,* la *Segunda Antolojía, Eternidades, Piedra y Cielo, Poesía, Belleza,* es decir, entre 1917 y 1930, ejerce este poeta una verdadera dictadura en el reducido ambiente literario

* *Mairena en su clase de Retórica y Poética.*
—Señor Pérez, salga usted a la pizarra y escriba: «Los eventos consuetudinarios que acontecen en la rúa».
El alumno escribe lo que se le dicta.
—Vaya usted poniendo eso en lenguaje poético.
El alumno, después de meditar, escribe: «Lo que pasa en la calle».
MAIRENA.—No está mal.

español. Entonces aparecían los versos primeros de una generación poética nueva, que fué responsable principalmente del endiosamiento de Jiménez. Otros dos poetas contemporáneos, Unamuno y Machado, superiores a Jiménez, apenas si merecieron alguna atención por parte de los jóvenes. Y como ocurre siempre, el exceso de valoración trajo luego la desestima; es verdad que el ambiente y la sociedad española han cambiado, y Jiménez parece sobrevivirse a sí mismo y a su época. La opinión no le es ya favorable. ¿Podrán cambiar los lectores futuros dicho estado de opinión? Eso, claro, es a ellos a quienes toca decidirlo.

III

TRANSICION

LEON FELIPE

(1884)

Los escritores cuya obra pasamos ahora a comentar en esta sección tercera apenas tienen unos años menos que los más jóvenes del 98; pero con ellos entramos ya en un ambiente poético distinto; nuestra poesía se ha alejado definitivamente del modernismo y del esteticismo, aunque del primero pueda quedar todavía alguna huella ocasional, por ejemplo, en tal o cual composición primera de Moreno Villa (véase la titulada «Gracia», del libro *Garba*). En cambio la obra de los mejores poetas del 98 comienza a ejercer algún influjo sobre estos otros poetas, marcando así el verdadero rumbo de nuestra lírica.

Pero al mismo tiempo son estos poetas mucho mayores que los de más edad en la generación siguiente, la de 1925; y por eso su obra, si por un lado toca de cerca la poesía del 98, por otro toca igualmente la del 25, algunas de cuyas mutaciones también les alcanzan. Véase, por ejemplo, cómo la influencia de Góngora, que sintieron casi todos los poetas del 25, la siente igualmente Ramón de Basterra *; o como la superrealista, que sufren algu-

* Con algún remordimiento renuncio a comentar aquí la obra

nos poetas del 25, recae además sobre Moreno Villa. Es decir, estos poetas de que ahora vamos a ocuparnos no representan tanto una época claramente definida como un momento de transición, una frase de contornos no muy netos en la poesía contemporánea española.

Es León Felipe un poeta severo, que desdeña el halago de la palabra y la magia del verso; un poeta que se quiere insensible a los encantos de su arte. Todo eso, halago, magia, arte, no es para él sino la celada en que caen los débiles, y el poeta es la criatura débil por excelencia. O peor todavía: según el poeta León Felipe, el poeta es el gran responsable (*El Gran Responsable,* poema, 1940). Ahora bien, ¿cuál podrá ser la responsabilidad del poeta? De los versos de León Felipe parece deducirse que el poeta es el responsable del estado actual de las cosas en la tierra. Pero hace ya tiempo, bastante más de un siglo, que el poeta no parece tener, o por lo menos nadie parece exigirle responsabilidad alguna en este mundo, sea cualquiera la que pudiera tener o pudieran exigirle en siglos pasados, aunque tampoco diríamos que fuera grande. De ahí que nos sintamos tentados de creer que si a algunos debiera exigirse responsabilidad por el estado actual de cosas en el mundo sería más bien al político, al hombre de negocios, al hombre de ciencia.

No lo cree así León Felipe, quien clara y decididamente echa sobre los hombros del poeta la responsabilidad de la cuestión. ¿Por qué? Porque canta mientras que

de Ramón de Basterra. Aunque tenga ciertos aspectos interesantes, éstos no compensan quizá la dureza de oído en el poeta, ni el escaso halago de su verso y de su expresión. Verdad que dichos defectos los indicamos también con respecto a Unamuno, pero hay en él otras cualidades más altas que, a pesar de todo, le permiten ser tan gran poeta.

Roma arde, sin preocuparse poco ni mucho del incendio; lo único que le preocupa son las minucias de su arte, y ahí reside lo indecoroso de la conducta del poeta, y de ahí se desprende su responsabilidad: por lo absorbente y exclusivo de la preocupación artística en su trabajo. Es verdad que además del poeta también hay otros responsables, según León Felipe, a saber: el obispo y el político. El obispo es «el hombre del engaño», «el que disfraza la tragedia»; en general la execración de León Felipe hacia dichas tres figuras para él simbólicas, la del poeta, la del obispo, la del político, parece tener idéntica raíz: que todos tres son simuladores, por cuya simulación resultan víctimas los demás hombres, aunque en el caso del poeta la simulación es aún peor a juicio de León Felipe, ya que, como veremos luego, su destino marcado por la Providencia era todo lo contrario de lo que se ha venido diciendo. (Es curioso: para Baudelaire las tres figuras simbólicas de la sociedad eran el poeta, el sacerdote y el guerrero, aunque sus funciones, innecesario es decirlo, fueran según Baudelaire bien distintas de como León Felipe ve las de su poeta, obispo y político.)

A quienes pertenecemos a la tradición occidental, europea, del arte, nos puede extrañar la acusación de León Felipe contra el poeta, pues desde Grecia acá siempre fué y pareció natural que el poeta se ocupara exclusivamente en el arte de su poesía, y aunque a veces el hombre que es el poeta se entrometiera en asuntos ajenos a los suyos ello siempre se consideró como accidental y marginal. Pero León Felipe toma las cosas desde mucho más lejos, y para buscar armas contra el poeta irresponsable se va a Asia: según la tradición semítica, biblíca, el poeta es un profeta y no un artista; un profeta, no tanto en el sentido de vidente, sino de dirigente, de elegido por Dios para conducir a su pueblo por el camino recto. Y si ello es así y el poeta olvida que su tarea es esa, y no la de ocuparse en frívolas minucias, tratando de componer buenos poemas, es lógico que entonces aparezca como el gran responsable, ya que por su culpa el pueblo, falto de dirección, queda descarriado. («E hicieron que su lengua, como su arco, tirase mentira; y no se fortalecieron por verdad en la tierra: porque de mal en mal procedieron y me han desconocido, dice Jehová». J., IX. 3.)

¿Cómo volver entonces al buen camino a ese gran descarriado que es el poeta? Recordándole que «no es el verbo sino la lágrima lo que manda ahora» *; es decir: que el poeta no debe escribir sino llorar, como hicieron los profetas ante la ruina de su pueblo. («¡Oh, si mi cabeza se tornase aguas, y mis ojos fuentes de aguas, para que llore día y noche los muertos de la hija de mi pueblo!» J., IX. 1.) En mi insuficiencia para colocarme a la altura de esa otra tarea del poeta, no veo cómo podría ayudar con mis lágrimas, aun suponiendo que éstas estuvieran prontas a correr sin duelo, como las de Salicio, a remediar la situación del mundo, ni en qué la mejorarían los poetas convirtiéndolo en universal muro de las lamentaciones. Me parece además, dicho sea de pasada, que para recomendar el llanto como panacea universal el propio León Felipe es poeta bien seco. (Advertiré que

* Casi todas las citas hechas en este estudio de León Felipe proceden de *El Gran Responsable* y de la introducción en prosa a otro poema suyo: *El Hacha* (1939).

JUAN RAMON JIMENEZ.-OLEO DE VAZQUEZ DIAZ

JUAN RAMON JIMENEZ EN 1923

en mi opinión la sequedad es una de las cualidades mejores con que puede contar un poeta.) Pero lo del llanto como solución de todos nuestros problemas no es en León Felipe salida de tono momentánea, sino que una y otra vez insiste acerca de su importancia: «Nos salvaremos por el llanto», «Creo en la dialéctica del llanto», «El llanto está en los versículos de los profetas».

Acaso dicha afirmación reiterada sea consecuencia de cierta tendencia a las generalizaciones, frecuente en este poeta, porque generalización, y generalización excesiva, es decir: «Todos somos desierto y africanos», cuando en España, a quien sin duda se aplican tales palabras, hay muchas cosas, las mejores precisamente, que nada tienen que ver con el desierto ni con Africa, incluso el propio León Felipe, el cual, aunque profeta, acaso no sea tan oriental como se figura. Porque no obstante las referencias a Job («Job es el modelo. Todo lo que hay en el mundo es valedero para entrar en un poema: nada es despreciable y todo puede entrar en el salmo») y cierto tono conminatorio al pueblo rebelde ante la voz de Dios; no obstante sus gritos («Yo no soy más que un grito») lanzados desde la montaña adonde le lleva el furor divino, más que un profeta es Zarathustra a quien nos recuerda.

¿Qué es pues la poesía para este execrador de vanidades poéticas?

La poesía es el derecho del hombre
a empujar una puerta,
a encender una antorcha,
a derribar un muro,
a despertar al capataz con un treno o con una blasfemia.

El capataz es, sin duda, Jehová y el poeta algo así como un agente de demoliciones. En otro lugar nos dice que «El poeta es el hombre desnudo que habla y que pregunta en la montaña»; siempre el profeta, Moisés en Sinaí acechando las tablas de la ley. Mas si a Moisés le esperaba abajo el pueblo elegido, al poeta nadie le espera: «Sin que le espere ya nadie en la ciudad». Ante ese abandono, ¿flaqueará León Felipe en su responsabilidad? No: el poeta «habla siempre dentro del círculo de la muerte y lo dice, lo dice como si fuera la última palabra que tuviera que pronunciar». Dotado de un poco de humor, eso le hubiera bastado a León Felipe para desconfiar de «últimas palabras»; pero humor es lo que jamás tuvo entre sus muchas excelentes cualidades, aunque diga que el llanto, según él, elemento primordial de la poesía, lo ha vestido «siempre de humor».

Discutiendo la aportación del poeta al mundo actual, dice León Felipe: «El dolor y la angustia de un poeta, ¿no valen nada?», con lo cual, extrañamente, parece alzarse como heredero de Espronceda y de los individualistas románticos *. A lo cual responderíamos que, en cuanto tal dolor o angustia individual del poeta, no valen más ni menos que el dolor y la angustia de otro hombre cualquiera; cuando pueden cobrar algún valor singular es cuando quedan transformados en poesía, que es cuando desaparecen como tal dolor o angustia personal del poeta. Como escribió T. S. Eliot: «Mientras más perfecto

* Resulta contradictorio en el acusador del gran responsable que le facilite así a éste todos sus antiguos y peores extravíos. ¿No ve León Felipe que sus palabras justifican el *cabotinage* de Byron, Musset y Espronceda?

el artista, más completa será en él la separación entre el hombre que sufre y la mente que crea».

A lo cual León Felipe objetaría: «Vivimos en un mundo que se deshace y donde todo empeño por construir es vano». Mas ahí precisamente entra en juego la honestidad del poeta, que es parte de su vocación: si ésta es profunda, el poeta tratará de todos modos de realizar su obra; aunque dicho esfuerzo parezca o se estime vano, él quiso remediar por su parte la desintegración colectiva, cumpliendo con su tarea. Y si cada hombre hiciera lo mismo y con honestidad igual en su particular llamada o vocación, ¿no le parecería a León Felipe que pudiera remediarse algo el mundo, acaso más que gritando y llorando en la montaña profética? En el fondo tal vez estuviera dispuesto a admitir dicha posibilidad de remedio, ya que en otra ocasión ha escrito: «Nuestra riqueza no se midió nunca por lo que tenemos sino por la manera de organizar lo que tenemos», y lo que el poeta tiene es su vocación y nada más. Ahí es donde le duele a León Felipe: «¡Ah, si yo pudiera organizar mi llanto y el polvo disperso de mis sueños! Los poetas de todos los tiempos no han trabajado con otros ingredientes». (Nueva generalización peligrosa.) «Y esta es mi angustia ahora: ¿dónde coloco yo mis sueños y mi llanto para que aparezcan con sentido, sean los signos de un lenguaje y formen un poema inteligible y armonioso?» Podemos deducir que la obra de León Felipe es la respuesta a esa pregunta del propio poeta.

Después de lo dicho parecería frívolo extenderse en dellates históricos y técnicos respecto a los escritos de este autor. Por su edad no está lejos de la generación del

98; por su intención, poco (algo, sin embargo) tiene que ver con ella. Como Fernando Villalón, aunque éste no semeje como León Felipe un poeta de transición, al publicar tardíamente su libro primero, se desliga de la generación anterior, a la que correspondería por su edad. Pero si la obra inicial de León Felipe, *Versos y Oraciones del Caminante,* libro I (1920), parece en principio emparentada con los poetas de la generación de 1925, luego vemos que no hay tal cosa, que nada tiene de común con ellos. ¿Es que acaso tiene su poesía algo en común con la poesía española, con su tradición y características varias? Dudo que lo tenga. Lo que este poeta ha escrito lo hubiera podido escribir igualmente en otra lengua cualquiera. ¿Quiere eso decir que no parezca español? Todo lo contrario: paradójicamente, León Felipe es español hasta el tuétano, y si de españolismo hablamos no le falta ninguna de las cualidades típicas de la raza, combinadas, claro es, con otras suyas peculiares, que hacen de él lo que es y lo diferencian de los demás poetas españoles contemporáneos. Pero la lengua, instrumento primero y principal del poeta, nunca creeríamos que le importó *. Así como el hombre a quien la imaginación no hostiga en la búsqueda y goce de la hermosura («la hermosura es una promesa de dicha», escribió Stendhal) puede tener hijos de cualquier mujer, hermosa o fea, con tal que sea fecunda, a León Felipe sólo le preocupa el lenguaje para reproducirse por medio

* Por eso extraña que eligiese a Shakespeare, el máximo artífice del lenguaje, que haya probablemente existido en cualquiera de las lenguas modernas, para traducirlo o adaptarlo. Al leer las traducciones o adaptaciones que de Shakespeare hace León Felipe, nuestra sorpresa dolorosa acaso sea igual a la de Don Quijote al ver transformada a Dulcinea en labradora manchega.

de él, y en cuanto a la intensidad que puede alcanzar el placer del lector, con ayuda de la imaginación, gracias a la exactitud y hermosura del lenguaje, más que dejarle indiferente se diría que ni siquiera sospecha su posibilidad.

Su posición en cuanto escritor, que hemos tratado de exponer con palabras del propio poeta, así como le alejó de delicadezas y recelos ante el lenguaje, también le alejó de las delicadezas y recelos ante la técnica. Un verso de transición entre el modernismo (con el cual nada tiene que ver nuestro autor, ni en metros, temas o vocabulario) y la generación de 1925, le bastó desde el comienzo de su obra sin modificaciones ulteriores; el mismo verso que usó Lorca en muchas de sus composiciones primeras (véase el *Libro de Poemas* y el *Poema del Cante Hondo*) así como también Salinas en gran parte de las suyas, aunque luego lo fuera transformando. Un verso gris, desarticulado más que flexible, sin musicalidad alguna; un verso que es combinación de metros cortos y largos (éstos en ocasiones llegan a ser versículos), insistiendo en los primeros más que en los segundos, cortado a veces arbitrariamente, sin atención al ritmo del verso ni al de la frase. Verdad que a estas observaciones pudiera responder León Felipe que ese verso era precisamente el que necesitaba para lo que tenía que decir. A lo cual no hay objeción posible.

Sentiría que de mis reticencias frente a la poética de León Felipe pudiera deducir el lector falta de estimación hacia esta figura tan digna de nuestra poesía contemporánea, tan singular también en su renuncia a ciertos recursos legítimos en el arte del poeta, en su despojo voluntario de todo halago expresivo. No: mi estimación hacia la obra de León Felipe es considerable. En su poema «Autorretrato» escribe Machado:

dejar quisiera
mi verso como deja el capitán su espada:
famosa por la mano viril que la blandiera,
no por el docto oficio del forjador preciada.

Esas palabras, que apenas tienen aplicación en el caso de Machado, la tienen en cambio muy exacta en el de León Felipe: acaso lo que de él recuerde más el lector sea precisamente el empuje, el arrojo de «la mano viril» que blandiera el verso, antes que «el docto oficio» del mismo.

JOSE MORENO VILLA

(1887-1955)

Los versos de Moreno Villa, malagueño de origen, poseen ya, desde la primera colección publicada por el autor, que es *Garba* (1913), algunas de las cualidades peculiares, gracia, airosidad, del poeta andaluz moderno. Pero, aun cuando sus versos hayan ido cambiando con los tiempos, según las diferentes fases de la vida del autor, éste, guiado por cierta especie de fatalismo o de pereza fatalista, aceptó casi siempre su trabajo como el primer impulso se lo deparaba. Con lo cual no quiero decir que sea enemigo del esfuerzo, sino más bien que es amigo de la espontaneidad y naturalidad y que al mismo tiempo detesta lo «acabado», lo «trabajado» en poesía o en arte. Por muy amigo que un poeta sea de dichas cualidades, no siempre puede ni debe aceptar los versos tal como se le ocurren en un principio; y en Moreno Villa, aunque no haya sido nunca un escritor fácil, el recelo a la insistencia sobre el trabajo espontáneo, ha contribuído a que algunas veces sus poemas parezcan más bien borradores, esbozos de poemas.

Quiero confirmar con palabras del propio autor, palabras que van al frente de la selección de sus versos en la *Antología* de Diego, su preferencia por la naturalidad y la sencillez, ahí aplicadas a la cuestión del lenguaje: «Una de las cosas que diferencian a la poesía moderna de la antigua es la riqueza ilimitada de elementos que maneja. Explicándome, diré: ayer, solamente la perla, el rubí, la aurora, la rosa y otras preciosidades al alcance de cualquier memoria por indocumentada que fuese; hoy todos los elementos se relacionan y se montan en imágenes vívidas y tembloteantes.

«En mis primeros libros de versos chocó a la gente de letras la admisión de adverbios y vocablos prosaicos. Esto no existe en la poesía anterior, y creo que, mérito o demérito, es algo que me corresponde en la evolución de la poesía española. Nótese que hoy dicen de todos los buenos poetas que hablan prosaicamente. Y es que desde hacía mucho tiempo no entraban elementos nuevos en la poesía española.» Otras palabras que escribe en la misma ocasión corroboran brevemente, aunque por distinto camino, eso mismo: «Lo más lejano a mi poética: lo parnasiano». Lo marmóreo, la perfección en frío y toda exterior, debía chocar con sus predilecciones íntimas, como también parecía ocurrirle a Machado; pero en éste raramente se le antoja al lector que haya algo a retocar en sus versos, y en los de Moreno Villa sí se nos antoja en ocasiones. Su simpatía y admiración hacia Baroja (la influencia del 98, y no sólo ideológica, como ya tendremos ocasión de indicar más adelante, fué grande en Moreno Villa) acaso nos provea de un precedente para los defectos de expresión y hasta cierta trivialidad que en él hallamos *.

* Es cosa sabida que Baroja escribe mal en su género (el positivista), aunque no peor que Ortega y Gasset en el suyo (el melodramático).

¿Qué aparece ya, como nota original, en el volumen primero de Moreno Villa? La absorción del modernismo en el ambiente nativo, tierra y cultura, del autor; porque no ocurren en éste temas o expresiones que no estén troquelados por su propio medio vital. Es decir, que lo folklórico, entendido aquí de manera mucho más sutil de como ordinariamente se entiende, juega un papel importante en la demarcación que hace el poeta de su campo visual y de su campo de expresión. Como ejemplo de lo dicho léase el poemita «El Fuego», incluído en *Garba*, no sólo por ser una composición feliz, sino porque en ella asoman rasgos que serán constantes en su poesía.

No sería justo hablar de influencias respecto a este poeta, que tan él ha sido y ha querido ser siempre; pero el eco circunstancial de Machado, y algo el de Jiménez, se une en ciertos versos suyos al de otro poeta del 98 a quien no hemos aludido en estas páginas, entre otras razones por lo insustancial y afectado de su obra: me refiero a Manuel Machado, hermano del grave Antonio. Moreno Villa puede, sin riesgo grave para su poesía, aceptar de Manuel Machado algo que por lo demás estaba difuso en el propio aire andaluz que respiró desde su infancia: el giro gracioso, el desplante ingenioso, el recuerdo de un ritmo o de una frase folklórica *.

Eso es tanto más necesario subrayarlo cuanto que probablemente la poesía de Moreno Villa fué el puente por donde dicha tendencia poética pasa a Federico García Lorca y Rafael Alberti (aunque éste sea un poeta menos «fatal», más «voluntario» que Lorca). Si el lector

* Véase el estudio de Moreno Villa sobre Manuel Machado («Manuel Machado, la manolería y el cambio»), uno de sus mejores trabajos de crítica, en el libro *Los Autores como Actores*.

requiriese prueba de esta importancia histórica en la obra de Moreno Villa, podemos dársela en composiciones como «Hombrada», «Dolorosa», «En la Serranía», del libro *Garba* ya citado. En la primera composición que indico hallará el lector que el héroe,

Un mozo tórrido, juncal,
ha pronunciado su amenaza
que firmará con el puñal;

en la segunda verá la estampa naturalista, según los imagineros españoles, de una virgen dolorosa:

Una imagen con su manto
de velludo funeral;
ay, una imagen que llora
gotas de limpio cristal;

y en la última citada se dirá al héroe, un cañí trapalón (un gitano ya), que

sus grandes pupilas vieron cómo la luna
brillaba, con destellos de macilento sol
en los perseguidores tricornios de charol.

(la Guardia Civil ya.)

Más todavía: en el libro tercero que publica Moreno Villa, *Luchas de Pena y Alegría* (1915) que, como el segundo, *El pasajero* (1914), prologado por Ortega y Gasset, es un poema integrado por composiciones breves, hallamos pasajes como éstos:

Serena va la Pena...
—¿Dónde, querida mía?
En busca de la piedra
que afile mi cuchilla.
Pena remueve la lumbre
y pone el mantel de nieve;
ha mudado sus vestidos
y peinado su rodete,
dejando al aire la nuca
de terciopelo y de nieve.

¿No encuentra el lector que Lorca pudo aprender algo de esos y otros versos de Moreno Villa respecto a la poesía que había nacido con él mismo y que pocos años después comenzaría a componer? No es sólo la semejanza en temas, en acento, sino hasta en detalles, como la asociación de un símil de material de calidad diferente: en los últimos versos ahí citados de Moreno Villa la nuca femenina es «de terciopelo y de nieve»; en Lorca, la piel femenina de «La Casada Infiel», por ejemplo, evoca (aunque sea para superarlos) «nardos y caracolas».

Lo curioso en el caso de Moreno Villa es que siendo un poeta nada fácil, ni colorista, ni andalucista, sabe infundir a su visión y a su expresión la espontaneidad graciosa del folklore andaluz. ¿Quiere eso decir que sea un poeta folklórico? No. En la poesía de Moreno Villa hay muchas veces un filtro intelectual, o si se quiere una reacción culta, sea consciente o inconsciente, que equilibra ambas aportaciones: la del medio racial y la personal del poeta *. Téngase en cuenta que entre sus ver-

* El mismo Moreno Villa parece confirmar esa trayectoria poética que ahí le trazamos con estas palabras: «Yo comencé a escribir (no a publicar) en Alemania. Yo veo la trama así: copla andaluza (incluso en el tono), Heine, Goethe, Schiller, Novalis, Hölder-

sos asoma en ocasiones algo de la influencia que el ambiente espiritual del 98 ejerció sobre él tempranamente, sobre todo la preocupación españolista. En dicho sentido baste recordar que cuando el poeta era muy joven, hacia los veinte años, se fué a Alemania (a Friburgo, si no me equivoco), para estudiar química; coincidiendo con su gesto, de una parte, la tendencia de despreciar los estudios humanistas en favor de los científicos, que para ponerse a tono con los tiempos recomendaban ya las gentes del 98, y Galdós antes que ellos; y de otra el ejemplo de la Institución Libre de Enseñanza, que pretendía educar a los españoles jóvenes según normas nórdicas extranjeras, proporcionando a las nuevas generaciones nacionales ciertas enseñanzas científicas y cívicas que habían de ser en su día la salvación del país. No sabría decir si nuestro poeta aprendió mucha química durante los años que vivió en Alemania (1904-1908), pero al menos creo que aprendió bastante de la lengua alemana.

De *Luchas de Pena y Alegría* quisiera citar estos dos versos significantes:

> *Lo que tú das al mundo es hijo mío;*
> *a la Pena lo debes.*

Y no porque su autor sea, como Jiménez, de esos poetas que se recrean y satisfacen en su propia pena, llenos de lástima para con ellos mismos; aunque el dolor, el

lin, Stefan George, Mombert; más algo de Francia: Baudelaire, Verlaine; más algo de España: *La Canción del Otoño*, de Darío, Unamuno, los Machado y Juan Ramón. Más algo de Roma, de la clásica: los elegíacos, Catulo y Tibulo». Acaso Moreno Villa exagere un tanto respecto a la influencia alemana en su poesía; le conocí y le traté cerca de treinta años, y nunca me pareció, ni en su conversación, ni en sus escritos, que sus conocimientos y gusto de la poesía alemana abarcara tanto como ahí indica.

desengaño, la desilusión estén muchas veces detrás de los versos de Moreno Villa, lo decisivo es precisamente el gesto de valor callado con que a pesar de todo sigue adelante; gesto en el que tampoco hay reto ni desafío al mundo, porque la ironía lo aligera de peso sentimental.

En *Colección* (1924), publicado por las mismas fechas cuando aparecían los primeros libros poéticos de la generación de 1925, hallamos confirmado algo que antes sólo insinuamos: cómo la obra de Moreno Villa posee una cualidad innata de adaptación al tiempo y al ambiente, y no por mimetismo, que no se concibe en un poeta tan sincero, sino porque su espíritu estuvo despierto y alerta ante la realidad y de ella se nutrió naturalmente. Componen dicho libro, entre otros tipos de composiciones, epitafios (cuya boga renovada acaso viniese de la *Spoon River Anthology,* de Edgard L. Masters), epigramas, paisajes, canciones. Creo que una de las pruebas de un poeta consiste en la posibilidad de canto *; y en dicho volumen, lo mismo que en todos los del autor, hay canciones, como «A la orilla del mar sagrado» o «Gris y Morado», llenas de gracia alada. Este libro no sólo es contemporáneo en fecha de aquellos otros poetas de 1925, sino que también lo es en acento, en visión y en expresión.

Jacinta la Pelirroja (1929) es una secuencia de poemas diversos centrados en torno de la figura de Jacinta, no-

* Digamos como dato significante, aunque sin embargo no deba interpretarse contra él, que Calderón nunca compuso una canción. En *El Alcalde de Zalamea,* por ejemplo, al requerir una canción para la serenata del Capitán, utiliza aquella de «Las flores del romero». Por lo visto era incapaz de ese impulso de la canción, que parece levantar en volandas, por medio de palabras aladas, el espíritu del poeta. Algo semejante ocurre a Aleixandre en nuestra poesía actual.

via del poeta. Cierto pudor de sus sentimientos fué siempre característico en la obra de Moreno Villa, y hay que detenerse en determinados pasajes para percibir el temblor o la resonancia emotiva que bajo ellos existe, a falta de lo cual acaso el lector pudiera acusarle de frialdad. Pero en este libro, la atracción que lleva el poeta hacia la mujer que él llamó Jacinta, expone con menos reticencia ante los extraños ciertos vericuetos emocionales que existían en su ánimo. Son pasajes, escenas, momentos de convivencia entre el poeta y su novia, en los que la realidad converge hacia aquella mujer, para el poeta centro del mundo entonces; hasta nos sorprende a veces la absorción, la devoción ante una criatura en el caso de Moreno Villa. Pero éste es demasiado reticente, y tiene sentido bastante de la ironía latente en casi toda situación humana, para que delante del lector se deje arrastrar por sus propios sentimientos. No obstante la atracción fué grande, tan grande que, pasado el momento y acabado el noviazgo, aún en versos posteriores alude a Jacinta y recuerda el pelo rojizo o la vivacidad de humor, que como cualidad física y cualidad psicológica la caracterizaban según su enamorado. Ahí tenemos una prueba de que para Moreno Villa son las circunstancias las que despiertan la poesía en el alma del poeta; y los que en eso coincidimos con él no tenemos por qué ruborizarnos de reconocerlo así, sobre todo estando nada menos que en compañía del propio Goethe, quien explícitamente dijo que su poesía había sido muchas veces una poesía de circunstancias.

En algunos pasajes de *Jacinta la Pelirroja* hay ya versos cuya aparente falta de lógica anuncia el contacto con el superrealismo, que en las *Carambas* (tres series, publicadas todas ellas en 1931), *Puentes que no acaban* (1933) y *Salón sin Muros* (1936), sus libros siguientes, ha de aparecer, continuar y desvanecerse. Las *Carambas,* escritas por los años en que la historia y la sociedad españolas iban dando tumbos de esperpento, como si se hubiese vuelto real lo que era fantasía en *El Ruedo Ibérico* de Valle-Inclán, son poemillas de actualidad, a veces cínicos, a veces sombríos, donde la visión superrealista se codea en ocasiones con la España negra del 98. Véase, por ejemplo, la *Caramba* que comienza: «En la ventana media luz rendida», que acaso recuerde, a quienes conocieron aquellas semanas madrileñas, primavera de 1931, inmediatas a la caída de la monarquía, su atmósfera y sus sucesos. Pero no todas esas composiciones son del mismo tono; hay otras donde ciertas cualidades ancestrales del poeta, cualidades puramente líricas, la gracia, la airosidad que antes indicamos, asoman bajo la expresión superrealista, como ocurre, por ejemplo, en la *Caramba* que comienza: «Todo hace pensar que las alondras y las violetas».

En las dos colecciones siguientes, *Puentes que no acaban* y *Salón sin muros,* aquella despreocupación aparente ante los hechos, que hallamos en las *Carambas,* como si el poeta se limitara a anotarlos escuetamente, va a dar paso a otros poemas en los cuales el autor está de regreso a sí mismo y centrado de nuevo en sí; son quizá, si no los libros mejores de Moreno Villa, aquellos donde encontramos algunas de sus composiciones mejores, cosa por lo demás arriesgada de afirmar respecto de un poeta que nunca buscó la perfección, sino un tono medio suficiente. El poema primero de *Salón sin Muros,* que da título a la colección, es a manera de recapitulación del poeta frente a su vida (que tan pronto iba a cambiar radicalmente); interesante, aparte de su valor poético, como rara expansión del autor ante el lector, dejándole entrever algo de lo que rehuía siempre poner en sus versos.

La terminación de la guerra civil encuentra a Moreno Villa en México y, cosa más nueva aún, casado. Los versos que desde entonces compuso, unos han aparecido en la sección «Poemas escritos en América» (1938-1947), del libro *La Música que llevaba* (1949), antología de su obra poética; otros fueron por él reunidos en un volumen en curso de publicación: *Voz en vuelo a su Cuna*; el resto queda inédito. En dichos versos últimos los ecos superrealistas desaparecieron y el poeta parece volver a su acento primero y más constante, enriquecido con las experiencias de una vida y un arte que en él fluían paralelamente. Ejemplo de esa etapa son las «Canciones a Xochipili, dios de las Flores», donde el tono ligero de la canción reaparece en su obra otra vez, con la gracia de siempre y además, entre líneas, con cierta gravedad. Es decir, que pudiéramos resumir en tres fases o etapas la trayectoria de este poeta: 1.ª) postmodernista con insistencia en lo folklórico; 2.ª) superrealista, y 3.ª) fusión de las corrientes primeras con las experiencias últimas.

Es un poeta cuya obra refleja siempre una reacción personal frente a la vida, expresada sin alarde de virtuosismo poético, ni de singularidad distinguida: con sencillez y dignidad. Eso precisamente debe ser la causa para el reducido número de gustadores que ha tenido su poesía en España, donde para ser gustado es necesario siempre bastante oropel. La pobreza, la ignorancia, la indiferencia de nuestro ambiente literario han hecho que este poeta sincero y tan auténtico no recibiera nunca la atención que por lo menos merece. Y en cuanto a esperar que las generaciones venideras enderecen la injusticia cometida en su caso, sería esperar demasiado: entre nosotros la literatura no tiene, cuando la tiene, sino actualidad.

GOMEZ DE LA SERNA
Y LA GENERACION POETICA DE 1925

Acaso extrañe la inclusión de Gómez de la Serna en un estudio sobre la poesía contemporánea. Si el verso dramático queda excluído siempre de nuestras antologías poéticas (aunque el verso mejor que Lope escribiera es su verso dramático), hasta el punto de que uno de los mayores poetas españoles, Calderón, por no haber escrito otra forma de verso que el dramático, apenas si figura en dichas antologías (si no es con el soneto de las flores, de *El Príncipe Constante,* que ciertamente no puede representar su vasto talento poético, ni tampoco su forma más original de verso), dificultad mayor habría para que el lector admitiera la existencia de la poesía en prosa. Y, sin embargo, parte de la poesía que hoy se escribe en español es prosa, y no de la buena.

Pero la poesía, aunque el lector no lo admita, ha hallado a veces en la prosa instrumento tan adecuado como el verso, aunque no tan frecuente. En la prosa de Fray Luis de Granada, de Fray Luis de León, de Santa Teresa, de San Juan de la Cruz o de Bécquer no son pocos los pasajes donde la poesía halla expresión admirable. No se trata de «poemas en prosa», los cuales, como especie literaria, sólo aparecen con la literatura moderna y son, además (si no me equivoco), de origen francés; sino del tránsito circunstancial, no sé si consciente o inconsciente en el autor, desde el lenguaje eficaz para expresar en prosa un pensamiento, al lenguaje que es instrumento de creación poética.

Si el lector está ya dispuesto a aceptar esa doble posibilidad de la expresión en prosa, no habrá dificultad para que admita en este libro el comentario parcial a la obra de Gómez de la Serna; comentario parcial digo, porque no se trata de estudiar aquí su obra, sino sólo cierto aspecto de ella que ahora nos interesa. Y eso por una razón doble: de una parte, porque en dicha obra es relativamente frecuente la expresión poética en prosa; y de otra, sobre todo, porque en Gómez de la Serna encuentra nuestra lírica el antecedente histórico más importante para ciertas formas de «lo nuevo», captadas por la visión y la expresión. Y como sabemos, «lo nuevo», a diferencia de «lo moderno» (preocupación de la generación anterior a ésta, que seguidamente estudiaremos), obsesionó a los escritores y poetas que surgen en nuestra literatura hacia 1920.

En la visión y lenguaje poético que caracterizan, si no todos, algunos de los poetas entonces jóvenes, al menos en la etapa primera de su labor, se observa una influencia evidente de aquella visión de la realidad introducida en nuestra literatura por Gómez de la Serna bastantes años antes, hacia 1910, cuando todavía el modernismo parecía regir nuestros destinos literarios. Y es que entre la literatura modernista y la que hacia 1920 se llamaría literatura nueva, no hay entre nosotros obra más llena de originalidad, originalidad de pensamiento y de expresión, que la de Gómez de la Serna; estando además representados en ella todos o casi todos los intentos renovadores de los movimientos literarios diversos ocurridos por aquellas fechas fuera de España, y eso no por imitación, sino por coincidencia. Conviene aclarar un punto: aunque en la obra de Gómez de la Serna hallemos un propósito equivalente al de dichos movimientos literarios europeos, desde los inmediatamente anteriores a la guerra del 14 hasta los posteriores a ésta, quedan, sin embargo, fuera de su alcance el dadaísmo y el superrealismo; es decir, los aspectos rebelde y mágico que animan respectivamente a dichos dos movimientos, los más cercanos a nosotros en el tiempo y los más importantes.

Y es que Gómez de la Serna, quizá por ser el último gran escritor español descendiente en rango e importancia de nuestros grandes clásicos, como Lope o Quevedo, es un realista. Quiero decir que el mundo donde su fantasía se mueve es el de la realidad material inmediata, mundo al que además juzga bien hecho tal como está, tanto desde el punto de vista estatal como desde el providencialista; y aunque lo transforme a su antojo respeta siempre sus límites establecidos, que van de lo posible a lo monstruoso, pero se detienen ante lo imposible y lo imaginario. Su obra se halla, por tanto, dentro de las fronteras del temperamento literario español, que con excepciones contadas fué siempre enemigo de indagar lo que pudiera haber tras de nuestra realidad inmediata, de una parte, y de otra (para compensar su falta de imaginación), muy dado a los juegos del ingenio con la palabra. Porque nuestro ingenio sólo se mueve entre las cuatro esquinas de la realidad, preocupado únicamente por el efecto brillante de las conexiones que establece entre los elementos más dispares de ella. De ahí su variedad y a la larga su tristeza; no en balde el fúnebre Quevedo es nuestro ingenio máximo*.

El ingenio, pues, es la facultad que crea la Greguería, y ésta el eslabón donde se engarzan todos los escritos de Gómez de la Serna, ya sean simples colecciones de Greguerías, ya sean, como su teatro, novela y crítica, un compuesto de Greguerías. Y como la Greguería se integra en una imagen o una metáfora, y éstas (observadas desde el especial ángulo visual del propio autor, como luego trataremos de indicar) no sólo fueron una parte importante, sino un todo, principalmente la metáfora, en los versos escritos por muchos poetas españoles hacia 1925, ello justifica el comentario previo a lo que la Greguería es y lo que su hallazgo representó en un momento de nuestra poesía.

Antes quizá convenga aclarar la diferencia entre imagen y metáfora, aclaración tanto más necesaria cuanto que no sólo los lectores sino los poetas mismos usan de ambos términos como sinónimos. Imagen, según el Diccionario de la Academia, es la «representación viva y eficaz de una cosa por medio del lenguaje»; pero como la definición es pobre añadiré esto: para que dicha representación constituya imagen, sus términos deben significar objetos visibles y no abstracciones. Así, cuando Gó-

* No es necesario especificar lo que entiendo por ingenio, porque su significado aquí es el mismo que tiene en el uso vulgar de la palabra. Si alguno deseara mayor precisión puede acudir al tratado *Agudeza y Arte de Ingenio*, de Gracián.

mez de la Serna escribe: «Las violetas están aplastadas por los pies de Venus», compone su Greguería sobre una imagen. La metáfora, según el Diccionario citado, «consiste en transladar el recto sentido de las voces en otro figurado, en virtud de una comparación tácita». Así, cuando Gómez de la Serna escribe: «Esponja, calavera de las olas», compone su Greguería sobre una metáfora.

En la imagen hay mayor creación poética que en la metáfora. En la primera interviene más la imaginación que el ingenio; en la segunda más el ingenio que la imaginación. La metáfora seduce pronto al lector español, y en ella se basaban sobre todo lectores y críticos para discernir preeminencia a los poetas nuevos de 1925; la metáfora estaba de moda, tanto que Ortega y Gasset, con su rara ignorancia en cuestiones poéticas, definió por entonces la poesía como «el álgebra superior de las metáforas». Es de uso difícil, si no peligroso, a menos que se posea imaginación noble y lenguaje magnífico; cuando Góngora escribe: «Entre espinas crepúsculos pisando» o «En campos de zafiro pace estrellas», nadie podría negar que sus metáforas son las más deslumbrantes que hay en nuestra poesía; pero cuando el ya citado Ortega y Gasset escribe: «La nube que cabalga con un alfanje al flanco» (creo que el alfanje en cuestión es el rayo), nos muestra entonces el riesgo que se corre, al usarla sin ángel, de quedar en ridículo.

Volvamos ahora a lo que es la Greguería. Pero ahí conviene ceder la palabra a su creador. «Desde 1910 —hace treinta y tres años (estas líneas de Gómez de la Serna, como prólogo a una colección de Greguerías, aunque en gran parte son repetición de otros prólogos a otras anteriores colecciones de Greguerías, se escribieron en 1943)— me dedico a la Greguería, que nació aquel día de escepticismo y cansancio en que cogí todos los ingredientes de mi laboratorio, frasco por frasco, y los mezclé, surgiendo de su precipitado, depuración y disolución radical, la Greguería. Desde entonces la Greguería es para mí la flor de todo, lo que queda, lo que vive, lo que resiste más el descreimiento.» Pero al citar estas palabras de Gómez de la Serna me doy cuenta de cómo el lector podrá objetar que la definición posible, y aún aclaración, respecto a lo que es Greguería, queda sumergida ahí bajo una locuacidad sin freno. Es el defecto principal de este gran escritor, el mismo de muchos de nuestros clásicos (no en vano es heredero de ellos), con sus dos consecuencias lamentables: la dispersión y la precipitación; precipitación que le fuerza a seguir adelante sin detenerse a reflexionar en lo que tenía que decir; dispersión que le lleva a acumular frases, diluyendo o perdiendo éstas su significado. Tendré, pues, que recoger, en páginas diferentes de dicho prólogo, lo más importante respecto a la Greguería, su nacimiento y su intención.

«En 1910 —hace treinta y tres años (insiste en una nota al prólogo en cuestión)—, en la revista *Prometeo,* y después como epílogo de mi libro *Tapices,* que publiqué con el pseudónimo de «Tristán», aparecieron las primeras Greguerías surrealistas». Ya dijimos, y veremos confirmado luego por otras palabras de Gómez de la Serna, que el superrealismo queda fuera de su órbita literaria. «Hay que dar una breve periodicidad a la vida, hay que darle instantaneidad, su simple autenticidad, y esa fórmula espiritual, que tranquiliza, que atempera, que cumple una necesidad respiratoria y gozosa del espíritu, es la Greguería... Es lo único que no improviso nunca». (El escritor superrealista improvisa al dictado de su subconsciente). «Me la concede esa adolescencia de la vida que va pareja de nuestra adolescencia o de nuestra vejez. Tienen que ser lentas y naturales. Son una gota de los siglos que atraviesa mi cráneo». Por último las define así: «Lo que gritan confusamente los seres desde su inconsciencia» (ahí pudiera hallarse, sin embargo, algún asomo de afinidad con el superrealismo), «lo que gritan las cosas».

Como objeción posible del propio autor contra la asimilación de la Greguería al poema en prosa, citaremos: «Las Greguerías son cosa más de literato que de poeta». Aunque más adelante, equiparando Greguería y metáfora, dice: «Lo único que quedará, lo único que en realidad ha quedado de unos tiempos y de otros, ha sido la gracia de las metáforas salvadas». Diferenciando imagen y metáfora (a favor de la metáfora y en contra de nuestro parecer antes indicado), escribe: «La imagen no es bastante... La imagen es representación viva y eficaz de cosa por medio del lenguaje». (Vemos que da como suya la definición que citamos según el Diccionario de la Academia.) «Es la primera consistencia de lo representado. Pero el búsilis, ese punto en que estriba la dificultad de una cosa, y el fililí, que es el primor y la delicadeza, que es lo que hay que añadir, eso está en la metáfora. Todas las palabras y las frases mueren por su origen correcto y literal, no llegando a la gloria más que cuando son metáforas... Humorismo + metáfora = Greguería».

Coincidiendo con la actitud primera de la generación poética que nace hacia 1920, dice: «La nueva literatura es evasión» (lo que en la lengua inglesa se llama peyorativamente «escapismo»), «alegrías puras entre las palabras y los conceptos más diversos... desvariar con gracia». Ahí podemos recordar aquella afición al juego irresponsable, que carecterizó los actos y los versos de algunos poetas jóvenes entre 1920 y 1930, actitud que representó tan bien Rafael Alberti. La relación entre Gómez de la Serna y aquella generación poética parece así evidente, tanto por la predilección común de la metáfora como por la otra de la evasión y el juego.

Que Gómez de la Serna escriba sólo prosa y los otros escribieran solamente verso, no es obstáculo al parentesco; ya al comienzo de este capítulo dejamos dicho que la prosa también puede ser instrumento expresivo para la poesía. Como ejemplo de que la Greguería es a veces un minúsculo poema en prosa, vamos a citar algunos: «Cuando una mujer chupa un pétalo de rosa parece que se da un beso a sí misma», greguería que en realidad es una humorada campoamoriana. «La hortensia tiene mojados de cielo sus ojos azules». «Cuando la luna se pasea por el paisaje nevado parece la novia de larga cola camino al altar». «Los ojos de los muertos miran las nubes que no volverán». «Las alas de las palomas cantan al volar».

Pero otras veces, las más, la Greguería llega a la poesía por un camino indirecto: por el juego de ingenio; y ahí también podemos hallar en Gómez de la Serna la filiación para muchos versos escritos después de 1920, que también eran juego de ingenio. Por ejemplo: «Las golondrinas abren las hojas del libro de la tarde como incesantes cortapapeles que nos han traído de Alejandría». «El desierto se peina con peine de viento; la playa con peine de agua». «La noche está entre pestañas azules». Y tantas otras que el lector puede buscar por sí mismo. Ese juego de ingenio que muchas veces hay en la Greguería relaciona a Gómez de la Serna, por otra parte, con nuestra poesía y prosa culterana y conceptista, las cuales, como veremos a su tiempo, también se conectan con los poetas jóvenes de 1925; y no tanto por «influencia» sino porque el gusto literario español, según indicamos antes, fué aficionado siempre a los rasgos de ingenio: el pájaro que era

flor de pluma
o ramillete con alas

en los versos de Calderón, también podría serlo en una Greguería de Gómez de la Serna. Es curioso cómo una constante del gusto nacional ayuda a que parezcan contemporáneos entre sí los escritores de épocas muy distintas.

Pero veamos ahora cómo ciertos versos de los poetas de la generación de 1925 semejan a su vez Greguerías, al menos los escritos en aquellos años entre 1920 y 1930, cuando se hablaba mucho de «cazar metáforas»; en dichos versos la realidad está observada, como dijimos, desde el ángulo visual peculiar de Gómez de la Serna, quien enseñó a no pocos de aquellos poetas a mirar y a ver. Ilustran lo que digo fragmentos de frases en verso como estas:

Radiador, ruiseñor del invierno. (Guillén.)

Rosa... la prometida del viento. (Salinas.)

La guitarra es un pozo
con viento en vez de agua. (Diego.)

Su sexo tiembla enredado
como pájaro en las zarzas. (Lorca.)

Cuando la luz ignoraba todavía
si el mar nacería niño o niña. (Alberti.)

El eco del pito del barco
debiera de tener humo (Altolaguirre.)

Y no insisto; me parece que, como ejemplo, los versos citados son concluyentes, y el lector, si sigue el rumbo que le marcan, puede espigar otros semejantes, comparándolos con la Greguería.

Se me dirá que en esos años precisamente el gusto por las frases ingeniosas no sólo se daba en España sino más allá de nuestras fronteras: en Francia, donde en las páginas de escritores de valor muy diferente (entre los cuales el soporífero Giraudoux parece ser el único que aún goza en su tierra de cierta estimación), el *esprit* * chispeaba con mayor o menor fortuna, y que dicha moda

* La palabra española ingenio, la francesa *esprit*, como la inglesa *wit*, pueden traducirse unas por otras, pero el órgano intelectual que cada una designa no queda así traducido, porque su función es enteramente distinta en cada una de dichas lenguas. Si fuera necesario un ejemplo, las historietas sexuales nos lo darían pronto y fácilmente: entre nosotros el ingenio exagera en dichas historias la parte tosca de su realidad; el *esprit* sobrepone sobre una realidad cierta delicadeza; el *wit* casi olvida su realidad y le contrapone las buenas maneras. Si el lector quiere recordar algunas historias de esa índole, españolas, francesas, inglesas, compárelas y verá si tengo razón; pero no espere que sea yo quien aquí se las cuente.

dejó eco entre bastantes escritores de lengua española. Pero aquella moda me parece que se daba al margen, corroborando la influencia de Gómez de la Serna, y la prueba está en lo ya dicho: de una parte, porque Gómez de la Serna se anticipa a ella; y de otra, sobre todo, porque entre nosotros el juego de ingenio no es una moda sino rasgo permanente del temperamento literario nacional. No se olvide tampoco en este aspecto la coincidencia de la aparición de estos poetas de la generación de 1925 con la celebración en 1927 del tercer centenario de la muerte de Góngora, y su secuela de reediciones y homenajes al mismo, lo cual agudiza en nuestro mundo literario la afición al concepto ingenioso.

Se ha hablado mucho, acaso demasiado, acerca de la influencia de tal o cual poeta de la generación del 98 sobre estos otros de la generación de 1925, pero que yo sepa nada se dijo acerca de la influencia sobre ellos de Gómez de la Serna. Sé que la importancia de la obra de este escritor, que por sí sola equivale a la de a la de toda una generación literaria, a toda una época de nuestra literatura, requería un comentario general y no uno parcial acerca de cierto aspecto de la misma; pero ese no era aquí nuestro propósito. Extenderse en el comentario hubiera sido exceder los límites del capítulo presente.

IV

GENERACION DE 1925

SUS COMIENZOS

Entre los años 1920 y 1930 aparecen los libros primeros de una nueva generación poética. Federico García Lorca es quien se adelanta en 1921 con su *Libro de Poemas* y Jorge Guillén, el más tardío, con la edición primera de *Cántico* en 1928. Mediando de una fecha a la otra, se publican: *Imagen,* de Gerardo Diego, en 1922 (no es su primer libro, pero sí el más importante de sus libros primeros); *Presagios,* de Pedro Salinas, en 1923; *Tiempo,* de Emilio Prados, en 1925; *Marinero en Tierra,* de Rafael Alberti, también en 1925; *Las Islas Invitadas,* de Manuel Altolaguirre, en 1926; y *Ambito,* de Vicente Aleixandre, publicado, como *Cántico,* en 1928, pero anticipado a éste en algunos meses *. No se ha aceptado una denominación común para este grupo de poetas; unos proponen que se le llame generación de la Dictadura, por la del general Primo de Rivera, que va de 1923 a 1929; pero exceptuando la coincidencia cronológica, nada

* También aparece entonces un libro importante de poesía: *Signario* (1923), de Antonio Espina. Es de lamentar que su autor abandonase el trabajo de poeta.

hay de común entre dicha generación y el golpe de Estado que instaura el Directorio, y hasta se diría ofensivo para ella establecer tal conexión. A falta de denominación aceptada, la necesidad me lleva a usar la de generación de 1925, fecha que, aun cuando nada signifique históricamente, representa al menos un término medio en la aparición de sus primeros libros.

Parece extraño ese surgir en pocos años de un poeta tras otro; se ha llegado a hablar de «un nuevo siglo de oro en la poesía española», aunque expresarse así sea bastante prematuro. A reserva de la estimación que en años venideros decida acerca del valor de estos poetas, opinaríamos que han continuado su tradición y la han transformado. Poco antes de que los más tempranos publicaran sus libros primeros, comenzaban a leerse en revistas de la época (números de *España* y de *La Pluma,* una semanal, la otra mensual, que aparecían entonces en Madrid, así como la esporádica *Indice*), algunas composiciones de poetas nuevos, entre los cuales figuraban nombres que luego adquirirían importancia dentro de la generación que estudiamos; composiciones donde aún se mantenía cierta visión y expresión modernista. El experimento de comparar éstas y aquéllas será más fácil si repasamos la *Antología* de Diego en su segunda edición (ya que, para satisfacer reproches de ser muy restringida en su selección, el antologista rompió la unidad de la misma, añadiendo en la segunda edición versos enteramente ajenos al criterio y propósito que animaban la primera). Repasemos, por ejemplo, la «Oda a Don Juan de Austria», de Tomás Morales (incluída en *Las Rosas de Hércules,* dos volúmenes, 1919-1920), de un modernismo decorativo y pomposo con un poemita de Pedro Salinas, que comienza: «Cuánto rato te he mirado» (incluído en *Presagios,* 1924), tan íntimo y delicado; pocos años median en la aparición de uno y otro poeta, pero la separación entre ambos es profunda: con los versos de Salinas estamos en diferente época, y eso que Salinas, lo mismo que Guillén, es más bien poeta de transición.

¿Qué ha ocurrido en nuestra lírica? ¿Cuándo ha ocurrido? Respecto a la segunda cuestión es difícil trazar una línea divisoria entre las dos formas de poesía, vieja y nueva, porque vimos que las dos coexisten durante unos años. Respecto a lo que había ocurrido, eso es lo que pretende explicar este capítulo, donde indicaremos el rumbo inicial de la generación de 1925, las fases que atraviesa, sin separar todavía el grupo que aparentemente forman, aunque marcando ya cierta diferencia que pronto surge dentro del mismo. Ese rumbo acaso podamos observarlo, aún más claramente que en los libros, en las revistas del grupo, que fueron varias, pero sobre todo en dos de ellas: *Litoral* y *Carmen. Litoral,* editada en Málaga por Emilio Prados y Manuel Altolaguirre, tuvo dos etapas, y durante la segunda los mencionados editores se desligan de la publicación, siendo otro poeta, José María Hinojosa, quien se encarga de ella. La etapa primera (1926-1928), precedida por un librito heráldico, *Canciones del Farero* (1925), de Prados, fué también la de los Suplementos a la revista, que formaron una colección de libros en verso debidos a diferentes poetas entonces jóvenes *. La etapa segunda (1929) de dicha revista,

* Dichos Suplementos fueron: *La Amante* (1926), de Alberti; *Canciones* (1927), de Lorca; *Vuelta* (1927), de Prados; *Ejemplo*

a pesar de su brevedad, marca ya un eco superrealista en los textos que publica; José María Hinojosa, su editor entonces (como dijimos), fué según creo el primer superrealista español. Respecto a *Carmen*, editada en Santander por Gerardo Diego, también iba acompañada de un suplemento, *Lola*; en este caso simple hojilla donde Diego puso en solfa benévola a algunos responsables de tal o cual necedad escrita contra la poesía. Ya volveremos sobre una y otra revista cuando llegue la ocasión, más adelante en este capítulo.

La carecterística primera del grupo, aunque no nazca con él y existiera anteriormente, como vimos al hablar de Gómez de la Serna, es el cultivo especial de la metáfora, cultivo poético que el grupo recoge y se apropia. Todos los movimientos literarios que con nombres variados aparecen antes de 1920 en países diversos, movimientos que fueron una reacción contra el esteticismo (modernismo entre nosotros) de fines del siglo, ofrecen como nota sobresaliente la del cultivo de la metáfora; algunos de ellos hasta llegan a pretender que un poema es eso y nada más: varias metáforas yuxtapuestas, con disposición tipográfica reminiscente de la musical (aunque muchos de aquellos poetas no conocieron probablemente el *Coup de Dés,* de Mallarmé, dicha disposición tipográfica acaso provenía de dicho poema) y supresión de puntos, comas y demás signos ortográficos. Cierto que el cultivo de la metáfora no era ninguna novedad; sin ir más lejos, ya vimos que Campoamor, a quien los poe-

(1927), de Altolaguirre; *La Toriada* (1928), de Villalón; *Ambito* (1928), de Aleixandre; *Jacinta la Pelirroja* (1929), de Moreno Villa; todos en verso, menos un Suplemento en prosa: *Caracteres* (1927), de José Bergamín, amigo de la poesía y crítico excelente de ella.

tas innovadores de 1925 tenían por «putrefacto», consideraba la metáfora como esencial en la poesía. Pero dos de esos movimientos poéticos, el creacionismo y el superrealismo, aunque conserven a la metáfora el papel capital que tenía en otros movimientos anteriores, la utilizan, sin embargo, no tanto en función de la poesía como al servicio de la poesía, adquiriendo en ellos la metáfora cierto alcance misterioso, sobre todo con el superrealismo.

En sus comienzos, los poetas de la generación de 1925, aún distando de creer que la poesía sólo consiste en metáforas, introducían en sus versos demasiadas metáforas voluntarias y efectistas. Acaso Lorca y Alberti, éste sobre todo, fueran los más decididos en el cultivo de ellas. Pero si comparamos los versos escritos entre 1920 y 1930 por la mayoría de estos poetas, y los versos que escribieron después de la última fecha indicada, es fácil observar que en los segundos la metáfora caprichosa y relumbrante no aparece ya, dejando de ser la trampa donde atrapar el pasmo de los lectores. Como escribió Machado, sin duda respondiendo a la moda necia de las metáforas:

Toda la imaginería
que no ha brotado del río,
barata bisutería.

Que nuestra tradición poética culterana y conceptista ayudaba al favor dispensado entonces a la metáfora, ya lo dijimos al hablar de Gómez de la Serna; sobre todo en aquellos años cuando la poesía de Góngora era traída y llevada en bocas y plumas de muchos y es de suponer que hasta fuera leída por algunos de los que la citaban.

Pero varios poetas comenzaban ya a buscar entonces en la metáfora cierto alejamiento de la lógica, que intensificara con cariz misterioso el encanto de la poesía. Un ejemplo tomado de Góngora puede ilustrar el cruce en una metáfora de esos dos sentidos, clásico y moderno, que nuestra lectura descubre hoy; son unos versos tomados de «Las Soledades», que dicen:

Quejándose venían sobre el guante
Los raudos torbellinos de Noruega.

Salcedo Coronel, el comentarista del poema, y contemporáneo de Góngora, advertía al lector la interpretación que debía dar a dichos versos, la cual era poco más o menos esta: sobre el guante de los cazadores de altanería o cetrería venían encaperuzados los halcones, entre los cuales eran más reputados los de Noruega, raudos como un torbellino. Pero el lector moderno, acostumbrado a las metáforas del creacionismo y del superrealismo, podía desdeñar la explicación lógica de esos versos magníficos para quedarse con su sentido literal, libre de atadura realista, que es donde precisamente reside para nosotros su valor poético. No sé si Góngora y el lector de su tiempo se recreaban ya en la irisación misteriosa de semejantes versos, tomándolos unas veces en su sentido metafórico y otras en su sentido literal; para algunos de nosotros entonces, en los años de la poesía «nueva», el valor de un verso podía consistir en esa doble posibilidad de significado *.

* Como ejemplo de un exceso curioso en ese doble sentido dado a un verso citaré la ocurrencia de un poeta a quien conozco bien. Leyendo a Enrique de Mesa, el amigo en cuestión tropezó con este

Si la primera nota característica del grupo fué la predilección por la metáfora, la segunda fué la clasicista. En revistas y libros franceses se hablaba mucho aquellos años del clasicismo y se aludía a Gide o a Valéry no sólo como defensores de dicha posición literaria sino como escritores clásicos. Claro que un escritor no nace clásico, sino que con el tiempo puede convertirse en un clásico; porque ni él ni sus contemporáneos son quienes lo deciden: con el transcurso del tiempo y de las generaciones, si en la obra de un escritor del pasado hallan aquellas respuestas a sus diferentes intereses y preferencias, el escritor en cuestión se va incorporando a la tradición nacional y resulta así un clásico. Pero aunque fuera absurda, existió dicha actitud clasicista *a priori,* y es perceptible a través de la crítica que entonces se escribía, en la frecuencia de ciertos elogios («medida»), de ciertas objeciones («excesivo»), de ciertas frases hechas («usar la lima»). Que más, si hasta en poeta tan poco «clasicista» como Lorca hallamos este verso: «Un deseo de formas y de límites nos gana». El ejemplo más constante de dicha actitud (porque en los restantes poetas del grupo es cosa pasajera) es Jorge Guillén, y *Cántico* la consecuencia española de aquel clasicismo de inspiración francesa.

Una fecha histórica, 1927, cuando se celebra el tercer

verso: *Junio libre de piedra*; verso que no tiene sino un solo sentido y no quiere decir más de lo que dice; que el tiempo durante el mes de junio no trajo perjuicio alguno al campo con algún pedrisco. Pero mi amigo, lector de Góngora y de Mallarmé, lleno de celo juvenil por la magia verbal, leyó así dicho verso: *Junio libre, de piedra*; y se le aparecía el mes susodicho como representando una fuerza natural y libre simbolizada en la piedra. Enrique de Mesa no pensó ni quiso decir tal cosa, pero ¿no cree el lector que su verso, insuficiente desde el punto de vista poético, cobraría algún interés si aceptamos la lectura errónea de mi amigo?

centenario de la muerte de Góngora, viene a confirmar y a cerrar tanto la etapa clasicista como la de la predilección por la metáfora, antes indicada, combinándose con ambas y constituyendo a su vez una etapa tercera en la evolución de estos poetas de 1925. Es innecesario decir que Góngora no nos da ejemplo de clasicismo en el sentido académico como lo entienden los franceses, cuya *marotte* fué siempre ese supuesto clasicismo de la especie Boileau; prueba de ello es la antipatía que hacia Góngora sintieron nuestros neoclásicos afrancesados del siglo XVIII. Sin embargo, el entusiasmo de los poetas de 1925 hacia la obra de Góngora determina un cambio en la opinión, entre la crítica profesional y erudita, con respecto al autor de *Las Soledades*: cualquier manual, de historia de nuestra literatura, en edición anterior a 1927, repetía idénticas inepcias contra Góngora (originadas, triste es decirlo, en Menéndez y Pelayo); el mismo manual, en edición posterior a 1927, cambia las inepcias contra Góngora por las inepcias a favor suyo.

Góngora influye sobre todos estos poetas, ya sea en una colección de versos, como *Cal y Canto* de Alberti, el *Romancero Gitano* de Lorca o el *Cántico* de Guillén; ya sea en algunos poemas solamente, como ocurre en los tres sonetos que Salinas incluye en *Presagios* o en tal o cual otro pasaje de su obra; como ocurre en el poema «Fábula», de Altolaguirre; en algunos pasajes de *Ámbito,* el libro primero de Aleixandre; o en la «Fábula de Equis y Zeda», de Diego. Una vez pasado el momento, dicha influencia parece desvanecerse, aunque algo de ella quedara adentro y reaparezca en ocasiones, decidiendo de un giro expresivo, de una asociación de palabras en los versos de estos poetas. La influencia de Góngora, combinada con la actitud clasicista, tuvo otra consecuencia, que es la reaparición de la métrica (octosílabos, endecasílabos, etc.), y de las estrofas (soneto en su forma ortodoxa, letrillas, romances, octavas reales, etc.) tradicionales, metros y estrofas que el modernismo puso en fuga. Hubo un momento cuando la obra de casi todos estos poetas se resiente de formalismo, al que algunos de ellos, como Guillén y Alberti, serán fieles casi siempre.

Pasada la etapa gongorina, tercera en su crisis de desarrollo, entra dicha generación, o al menos parte de ella, en su cuarta y última etapa; etapa determinada por una influencia nueva, también de origen francés: la superrealista. Entre los años 1920 y 1930 (que corresponden cronológicamente con los del crecimiento de esta generación de 1925) se origina y desarrolla en Francia el movimiento literario superrealista. Sería error grave estimarle como otro movimiento literario más entre los que anteriormente habían aparecido, porque de todos ellos el superrealismo fué el único que tuvo razón histórica de existir y contenido intelectual. Y al decir que era un movimiento literario conviene aclarar la paradoja de llamar así a un movimiento que surgió, es verdad, dentro de la literatura, pero que al mismo tiempo iba contra ella. El superrealismo envolvía una protesta total contra la sociedad y contra las bases en que ésta se hallaba sustentada: contra su religión, contra su moral, contra su política; y puesto que la literatura es expresión de un estado de la sociedad, resulta lógico que fuera también contra la literatura. Lo paradójico estaba en que, yendo el superrealismo contra la literatura, como los superrealistas eran mozos de inclinación literaria, su protesta tenía que revestirse forzosamente de formas literarias.

Pero antes de ocuparnos con la influencia superrealista sobre algunos de estos poetas es necesaria una disgresión. El único movimiento literario que se conectaba directamente con el superrealismo era el de *dada,* también de origen francés, inmediatamente anterior a aquél y al cual sirvió de prólogo. Mas por lo que respecta a esta generación que estudiamos también debemos conectar el superrealismo, por las razones que luego diremos, con otro movimiento literario anterior, cuyo origen lo mismo pudo ser francés que hispano-americano: el creacionismo. Dejemos, sin embargo, a un lado la cuestión de sus orígenes; es decir, si nace en los versos de Pierre Reverdy (cuya obra es antecedente de la de los poetas superrealistas franceses) o en la del chileno Vicente Huidobro; aunque sí convenga recordar que el nombre de creacionismo designa exclusivamente un movimiento poético hispano-americano y no tiene aplicación en la poesía francesa.

Huidobro vive en Francia largos años, a partir de aquellos anteriores a la guerra de 1914, cuando surge allá un movimiento de renovación poética que representan, entre otros, Apollinaire y Reverdy. Huidobro escribe en francés y en Francia publica sus libros; mas lo probable es que Reverdy nunca leyera a Huidobro *,

* Sabido es que el chauvinismo francés no toma en cuenta lo que en francés escriban aquellos extranjeros quienes, atraídos por el brillo de la cultura francesa, en Francia residan y trabajen durante años. Si de ellos se ocupasen sería, a lo más, para calificarles de *métèques* y pasar a otra cosa.

aunque Huidobro sí leyera a Reverdy. Sea ello lo que sea, lo interesante para nuestro propósito aquí es el encuentro con Huidobro en París de un poeta español, Juan Larrea, que también renuncia a su lengua para escribir en francés y ha de hallar en los versos del chileno el origen de su propia orientación poética; y que al lado de ambos se agrupan otros poetas de lengua española, entre ellos el peruano César Vallejo, los cuales también adoptan la modalidad creacionista según sus propósitos particulares. Una revista, *Favorables París Poema* (1926), recoge trabajos en verso y prosa de los poetas del grupo, que ahora, sin embargo, favorecen al español como su medio de expresión. Entre tanto, Gerardo Diego, amigo y admirador de Larrea, sigue desde España su rumbo poético, haciendo así que el creacionismo entrara en la órbita de la poesía española: su libro *Imagen* será el primer ejemplo de verso creacionista español; pero aún ha de darle entrada entre nosotros de una manera más efectiva: traduciendo del francés y publicando en los números de su revista *Carmen* (1927-1928) diversos poemas de Larrea. Más adelante indicaremos la importancia que para nuestra poesía contemporánea tuvo dicha publicación.

Volvamos ahora al superrealismo. Entre el verso creacionista y el superrealista apenas hay otra relación sino la que es común a todos los movimientos literarios contemporáneos: abandono de las formas poéticas tradicionales, verso libre, ausencia de rima, etc. Lo que parece unirlos es, de una parte, que tanto el poeta creacionista como el superrealista han dejado atrás el «dinamismo» afectado que exhibían los adeptos de otros movimientos literarios anteriores; y de otra, que la metáfora creacionista y la superrealista, aunque diferentes entre sí, son ambas libres e ilógicas, y no tienen el aire de «adivina, adivinanza» que tenían las de los susodichos movimientos literarios anteriores. Pero el creacionista carece de la rebeldía, que era el rasgo del superrealismo, así como del aspecto mágico de éste.

Aunque francés de origen, el superrealismo llegó a convertirse en movimiento internacional, y eso, más que a influencia literaria, se debió quizá a que respondía a una rebeldía de la juventud, a un estado de ánimo general entre la mocedad por aquellos años. Aunque se diera en casi todos los países de lengua española, aquí sólo nos ocupa su repercusión entre los poetas de la generación de 1925. España, como país neutral durante la primera guerra mundial, no sólo no tuvo que sufrir con ella, sino que económicamente se benefició de ella; así que en apariencia las circunstancias históricas pudieron ser allí menos favorables al descontento y disconformidad de la juventud que despierta y encuentra que ha de vivir en medio de una sociedad en ruinas bajo un injusto régimen político y económico. Pero España es desde hace siglo y medio un país en descomposición, en el que los jóvenes deben experimentar, aún más agudamente quizá que los mayores, el desagrado del ambiente y el empuje hacia la rebeldía.

Lo curioso es que el superrealismo sólo hallara en España expresión en el verso, pero no en la prosa; y además, que no todos los poetas del grupo cuyos comienzos estudiamos experimentaron dicha influencia superrealista. En realidad, entre los que la experimentan y

RAMON GOMEZ DE LA SERNA.-1954

RAMON EN SU CUARTO DE TRABAJO

los que no la experimentan, ese hecho abre una separación; así quedan de un lado poetas como Salinas y Guillén (*El mundo está bien / Hecho,* escribe Guillén; e instintivamente, al leer tales palabras, nos brota el grito contrario: «No. El mundo no está bien hecho; pero pudiera estarlo mejor, si no lo impidiera siempre, precisamente, ese conformismo burgués»), que apuran las consecuencias del simbolismo, y por eso parecen más bien poetas de transición *, y de otro Lorca, Prados, Aleixandre, Alberti y Altolaguirre. Respecto a Prados y Altolaguirre se me dirá que no es evidente en sus obras la influencia superrealista, aunque al menos, en mi opinión, la rebeldía que supone dicho movimiento, no manifiesta en sus versos, puede observarse en su actitud frente a la vida.

De los cinco poetas mencionados sólo Prados y Aleixandre conocían las publicaciones de los superrealistas franceses, mientras que los otros sospecho que no las leyeron nunca. Es verdad que Lorca, con su intuición excepcional, no tendría dificultad para sentir algo que estaba en el ambiente, y puesto en contacto hacia 1929 con una ciudad como Nueva York y el tipo monstruoso de vida que representa, el grito de rebeldía le salió afuera de modo espontáneo. El resultado fué *Poeta en Nueva York,* que no obstante ser un libro «compuesto», es decir, donde hay poemas de tono y factura distintos y hasta

* En realidad, tanto Salinas como Guillén, ni por su edad ni por su espíritu, pertenecen a esta generación del 25. Hubiéramos debido estudiarlos en la sección segunda, con León Felipe y Moreno Villa, como poetas de transición. Pero se les ha considerado siempre formando parte de la generación susodicha, y para no ir contra un hecho literario aceptado, los incluímos en esta sección tercera, aunque advirtiendo al lector de sus diferencias con los poetas restantes del grupo.

contrarios a veces al superrealismo, tiene más valor del que le dan los admiradores del *Romancero Gitano* y no sé si decir que hasta me parece superior. En cuanto a *Sobre los Angeles* de Alberti, también es en parte obra conectada con el superrealismo. Pero conviene aclarar respecto de ambos libros, el de Lorca y el de Alberti, una cuestión que explica el nacimiento y procedencia de los mismos. Si es cierto como supuse que ni Lorca ni Alberti leyeron obras superrealistas (me parece que en general los dos tuvieron lecturas escasas), ¿cómo adquirieron parte del acento y técnica superrealista?

El lector recordará lo que antes indiqué, respecto a la traducción y publicación en *Carmen* de los poemas de Larrea. No es Larrea un poeta conocido hoy, ni tampoco lo era mucho en los años cuando dicha revista recoge sus versos; por eso mismo conviene subrayar la importancia poética e histórica de su trabajo. ¿Me equivoco al atribuirle esa importancia? Es posible que a los poetas hoy jóvenes no les interesen los poemas de Larrea; pero su relectura me confirma las dotes considerables de poeta que en él había. Al menos no creo equivocarme al pensar que a él le debieron Lorca y Alberti (y hasta Aleixandre) no sólo la noticia de una técnica literaria nueva para ellos, sino también un rumbo poético que sin la lectura de Larrea dudo que hubiesen hallado. * En

* Como complemento añadiremos aquí en nota algo de lo que acerca de Larrea se dice en el capítulo suprimido sobre Gerardo Diego y Rafael Alberti: «Es de suponer que el nombre de Larrea vaya olvidándose con el transcurso del tiempo; pero aunque tal cosa ocurra, no por eso dejarán de haber tenido los versos del mismo un valor poético e histórico. Existía en Larrea no sólo la posibilidad de un poeta, sino la realidad perceptible de que era un poeta; un poeta acaso más interesante que algunos de estos pertenecientes a la generación de 1925. Quienes duden de lo que digo deben buscar

cuanto a la rebeldía, que caracterizaba al superrealismo y falta en el creacionismo, tanto Lorca como Alberti (aunque en el libro de éste apenas exista) pudieron hallarla en el ambiente de la época.

El superrealismo francés obtiene con Aleixandre en España lo que no obtuvo en su tierra de origen: un gran poeta. Tres por lo menos de los libros de Aleixandre: *Espadas como Labios, Pasión de la Tierra* y *La Destrucción o el Amor,* son enteramente fieles al superrealismo; ahora, que éste acaso fuera para Aleixandre, no tanto una liberación como una máscara, máscara bajo la cual entredecir lo que de otro modo no hubiera tenido valor para aludir en su obra. De todos los poetas del grupo ha sido Aleixandre el que más espacio de tiempo se man-

sus composiciones en la antología seleccionada por el propio Diego; encontrarán allí poemas de Larrea como «Espinas cuando Nieva» y «Tierra al Angel cuanto antes», de una gran hermosura desolada, respecto a materia poética; respecto a la expresión, no se olvide que Larrea raramente usó para el verso un idioma suyo nativo, lo cual es inconveniente grande, ya que nunca se insistirá lo bastante en la importancia que tiene para un poeta el hablar lengua que fué la de sus antepasados en la literatura y en la sangre. Sobre todo debe leerse una composición de Larrea, la que voy a citar aquí, donde el poeta no sólo expresa su concepto de la poesía, sino además lo qué esta poesía y el poeta significan en el mundo:

Sucesión de sonidos elocuentes movidos a resplandor poema
es esto y esto y esto
y esto que llega a mí en calidad de inocencia hoy
que existe porque yo existo y porque el mundo existe
y porque los tres podemos dejar correctamente de existir.

Cuando los poetas del 25 creían que el arte era un juego, Larrea afirma la significancia espiritual de la poesía; cuando algún poeta del 98, como Jiménez, estimándose todavía criatura única, se erguía frente al mundo para intimarle su desprecio, Larrea afirma la insignificancia en el mundo de la vida del poeta y de la obra del mismo. Precisamente es esa significancia de la poesía e insignificancia del poeta lo que parece restituir ambos a su función y lugar respectivos. En gran parte ese sería el concepto de la poesía y del poeta que pronto había de imponerse como más característico de esta generación.»

tuvo fiel al superrealismo como forma de expresión para su propia poesía.

Hemos visto así las fases primeras que se observan en la generación poética de 1925: 1.ª) predilección por la metáfora; 2.ª) actitud clasicista; 3.ª) influencia gongorina (fase que se relaciona con las dos anteriores); 4.ª) contacto con el superrealismo. Esta fase última marca además la separación del grupo en dos subgrupos: a un lado Salinas y Guillén, y al otro Lorca, Prados, Aleixandre, Alberti y Altolaguirre; en cuanto a Diego, como el alma de Garibay, queda flotando en el aire, sin incorporarse al uno ni al otro subgrupo. Es común a todos ellos, al menos durante los quince o diez años primeros de su labor, lo hermético del pensamiento poético y un estilo que tiene como norma el lenguaje escrito; luego, con mayor o menor lentitud, la mayoría de ellos evoluciona hacia un estilo cada vez más cercano a la pauta del lenguaje hablado, siendo la expresión más directa y la dicción más clara. En los siguientes capítulos comentaremos el rumbo individual que toma cada uno de dichos poetas.

PEDRO SALINAS
(1891-1951)

Existe una literatura burguesa, aunque no aludo estrictamente a la así llamada entre los críticos literarios que se basan en la doctrina marxista, por ser expresión de un estado político y económico de la sociedad; me refiero tan sólo a una literatura que descansa en el aprecio burgués de los valores humanos y, en general, sobre un concepto burgués de la vida. En este sentido, hasta ahora, a ninguno de los poetas aquí estudiados podemos aplicar el calificativo de poeta burgués; ni siquiera a Campoamor, a quien así suele aplicársele sin razón alguna, porque una cosa es que viviera dentro de una sociedad burguesa y otra que fuera un poeta burgués; se sirvió de la sociedad en que vivía para expresarse a sí mismo y a su visión de la vida, y llamarle burgués por eso no sería menos absurdo que llamar medieval a un pintor impresionista por haber presentado catedrales en sus lienzos.

En general, el poeta moderno, quiero decir el poeta que vive y escribe después de la etapa literaria romántica, ha roto con la sociedad de que es contemporáneo; ruptura donde nada violento hay, sino que se consuma quieta y tácitamente, y esa es quizá la razón, no la supuesta oscuridad de su poesía, para que la sociedad no guste de ella: porque ya no se reconoce en la obra del poeta. Ni siquiera podemos llamar burgués al poeta que lleve exteriormente una vida en todo burguesa, si su poesía supone ruptura con el medio social donde en apariencia vive conforme. El poeta, como en esas cajas chinas insertadas unas dentro de otras, vive el medio social que lo envuelve, pero separado de él y encerrando a su vez dentro de sí otro mundo distinto, que es suyo y el de unos cuantos hombres afines. Pero al referirnos ahora a la obra literaria de Pedro Salinas y Jorge Guillén nos encontramos con que esa obra es conforme con la sociedad *, la de Guillén aún más que la de Salinas, expresando un concepto burgués de la vida y que en ella la imagen del poeta no trasciende al hombre sino a una forma histórica y transitoria del hombre, que es el burgués.

* * *

El primer libro de Pedro Salinas, *Presagios,* aparece en 1923. Como el *Cántico* de Guillén, no parece en realidad un libro primero; quiero decir que tras de ambos volúmenes es lógico suponer una serie de composiciones que sus autores destruyeron o que al menos dejaron inéditas. La edad de Salinas (32 años) y la de Guillén (35 años) al publicar sus primeros volúmenes nos autoriza a pensarlo así, como también la voz poética, más bien madura

* Recuerdo que en cierta ocasión, al mostrar a Salinas un trabajo mío donde afirmaba que «el poeta es siempre un rebelde», Salinas me replicó que esa era la única parte del trabajo en cuestión con la que no estaba de acuerdo.

que juvenil. Cierto que *Presagios,* a diferencia de lo que ocurre en *Cántico* desde su primera edición, ofrece poemas de tono diferente, que acaso pudiéramos reducir a tres grupos: 1.º) poemas de tono prosaico y realista, como «Un viejo chulo la dijo»; 2.º) poemas de cierta riqueza expresiva, un tanto gongorina, como «Agua en la noche, serpiente indecisa»; y 3.º) poemas de tono intelectual e ingenioso, como «Cuánto rato te he mirado». Este último será el tono de preferencia que adopte Salinas en sus libros ulteriores, aunque la emoción, que al principio era perceptible en él, vaya soterrándose poco a poco.

Si en ese libro primero Salinas parecía más bien un poeta sencillo y directo, en ocasiones deliberadamente prosaico, en los siguientes se desvía de lo que tal vez era su camino verdadero, acaso por influencia de Guillén (Salinas fué el admirador más incondicional que tuvo la poesía de Guillén), para convertirse en un poeta ingenioso de tendencias cosmopolitas, llegando, si no a desconocer enteramente su naturaleza poética propia, casi hasta malograrla. El ingenio, que Salinas pudo creer justificado en poesía gracias a Góngora, será constante en sus libros, desde los títulos (*Seguro Azar, Fábula y Signo*) y los temas hasta el tratamiento expresivo de éstos. Como ejemplo recuérdese una composición de *Seguro Azar* (1929) titulada *Far West*: el viento que agita el pelo de Mabel la caballista lo está viendo el poeta en la pantalla cinematográfica, pero no sopla ahí, sino allá, al otro lado del mar,

en una tarde distante;
no es el viento: es el retrato
de un viento que se murió.

El análisis de dicho juego ingenioso puede repetirse en la mayoría de los poemas de Salinas, los que de preferencia parecen atender, antes que a captar una realidad poética culta, al juego susodicho; o mejor: en el juego susodicho diríamos que consiste para Salinas la creación poética.

Esa predilección se relaciona con la actitud que ya hemos recordado como frecuente entre los poetas españoles de la generación de 1925, al menos en sus comienzos: la de tomar el arte por juego. Y aunque Salinas, ni por su edad, ni por su posición en la vida, era de los más indicados para adoptarla, sin embargo, la adoptó. Que llegó muy adentro del ánimo del poeta podemos comprobarlo en otro aspecto que se relaciona con la creencia de que el arte es un juego: la «modernidad», la «novedad», de la materia poética y de los accesorios que emplea en sus versos: ascensores, teléfonos, trasatlánticos, aviones, cinematógrafo, deportes, etc.

Salinas, que era un crítico excelente (con tal de que las obras criticadas fueran en el propio sentido y orientación suyos), hablando de Baudelaire en cierta ocasión a quien esto escribe, observó lo «moderno» de sus accesorios y de sus fondos poéticos. Pero si la observación era justa, porque Baudelaire fué en efecto el primer poeta de la vida moderna, Salinas no supo adaptar el procedimiento a sus propósitos, resultando así su modernidad externa y ficticia. El secreto de ello, como escribe T. S. Eliot, estudiando precisamente la obra de Baudelaire, es que la modernidad «no consiste sólo en el uso de la imaginería de la vida sórdida en una gran metrópolis, sino en la elevación de esa imaginería a la intensidad primera, presentándola tal como es, y, sin embargo, haciendo que represente mucho más de lo que es».

Y eso, hacer que las cosas parezcan o representen más de lo que son, que sólo lo obtiene el poeta al llenarlas de una intensidad que está en él, es precisamente algo que Salinas rehuía, por su contradicción con aquel juego en que, según ya dijimos, consistía para él la poesía. Había en él, si exceptuamos su primer libro, una especie de temor a tocar temas o situaciones donde apareciese lo humano fundamental; hasta evitaba usar la palabra para decir algo que no fuese rasgo de ingenio o preciosismo verbal *; o sea, en uno y otro caso, sólo para frases donde el poeta no arriesgara nada suyo profundo. Ahí intervino la «poesía pura». Porque esa es la actitud poética de Monsieur Valéry, que tan en boga estuvo por aquellos años, y que Salinas, por influencia de Guillén, su hermano gemelo en poesía, había adoptado. Pero el sentido estético de Salinas era menos agudo del que suele darse en un poeta francés, y su actitud puede conducir al lector a ver ahí un temor burgués a comprometerse, o una incapacidad burguesa para sentir emociones intensas.

Por eso, al cambiar el rumbo la poesía hacia 1930, dejando atrás el juego para exhibir al contrario una determinada intensidad, buscando el poeta aquellos temas

* Al mostrarle una vez ciertos versos juveniles míos, donde ocurría una frase como esta:

Y sólo el silencio quede,
Que son aire las palabras

me indicó que sería conveniente la cambiase, porque esa frase «decía algo», y en poesía no se debía decir nada. (No necesito recordar al lector que esos versos juveniles, por insulsos, estaban lejos de merecer la censura de «decir» algo.)

o situaciones que más la favorecían (así pasa Alberti, por ejemplo, de *Cal y Canto* a *Sobre los Angeles*), Salinas, en un viraje brusco, pretende seguir la corriente, y escribe primero *La Voz a ti Debida* (1934), luego *Razón de Amor* (1936). *La Voz a ti Debida* despertó entre los lectores una admiración que ningún otro libro anterior de Salinas había conseguido despertar; en cuanto a *Razón de Amor,* publicado poco antes de la guerra civil, apenas tuvo espacio para que respecto de él se formara una opinión. Ambos libros son un poema de amor, pero de lo que antes indiqué como rasgos principiales en la poesía de Salinas, puede deducir el lector una contradicción nueva en el poeta: ¿dónde es más él, en *Seguro Azar* y *Fábula y Signo* o en *La Voz a ti Debida* y *Razón de Amor*? Para mí no hay duda: el amor, que es tema de esos dos libros, me parece otro juego; y si no juego, afectación: deseo de mostrarse tan humano como el que más. En favor de mi parecer hay esto: la aparición entre los versos de ambos volúmenes de otras frases ingeniosas, de otros rasgos de ingenio, que desentonan hondamente con la voz nueva del poeta. Voz que persiste, con la misma contradicción íntima, en los volúmenes que luego publica: *Error de Cálculo* (1938), *El Contemplado* (1947), sin aludir a algunos que sólo aparecieron en versión inglesa. *Poesía Junta* (1942) reúne la obra poética de Salinas; *Todo más Claro* (1949) sería la última colección de versos que publicó en vida, dejando, sin duda, bastantes inéditos, además de las composiciones dispersas que aparecieron en revistas.

Dichos libros, más que colecciones de poemas, parecen largos monólogos poéticos cortados por la división en fragmentos que el poeta les da. A esa apariencia de monólogo contribuye también el tipo de versificación que Salinas emplea siempre: un verso de medida variable, predominando el de arte menor, con asonante irregular, aunque a veces sin rima. Su versificación, que tiene por base al romance, no queda fuera de aquel momento de transición, inmediatamente anterior a la generación de 1925, a que ya he aludido. Nunca cayó en el formalismo poético de Guillén; es más bien de los poetas que crean su forma propia, según las exigencias de sus temas y de su expresión. A veces hay en él, extrañamente, cierta tendencia a la reminiscencia folklórica, como, por ejemplo, el uso de la seguidilla (véase la mitad segunda de la composición «El Poema», del libro *Todo más Claro*). Su expresión fluctúa en alguna ocasión, asomando a ella unas veces el recuerdo de Jiménez y otras el de Guillén; como ejemplo de lo primero, entre otros que pudiéramos citar, puede verse el fragmento «Perdóname por andar así buscando», de *La Voz a ti Debida*; y de lo segundo, también entre otros que es posible mencionar, el poema «En ansias inflamada», de *Todo más Claro.*

Entre los poetas de la generación de 1925 es Salinas uno de aquellos cuya obra parece más difícil de apreciar en su valor justo; frente a la indiferencia de unos no pesa bastante la admiración algo convencional de otros, y acaso sea necesario dejar que pase tiempo antes de decidir acerca de la aportación hecha por Salinas a nuestra lírica contemporánea. Sin embargo, con recelo inevitable a lo que de aventurado haya en esta opinión, quisiera decir que *Presagios* me parece lo más importante de su labor; muestra ahí cualidades poéticas espontáneas en su temperamento, cualidades que sus libros siguientes dejarán a un lado, sin duda por creerlas el autor inferiores a las otras artificiales que luego ha de adquirir y cultivar. El hecho de que yo leyera *Presagios* siendo muy joven, y quizá menos acostumbrado al examen objetivo de mi lectura, no creo que tenga parte en la simpatía por dicho libro; su relectura ulterior me ha confirmado en la creencia de que es el libro de más valor entre los de Salinas. Y también uno de los más valiosos en la generación de 1925.

* * *

Al editarse este libro el autor ha suprimido el resto del capítulo presente, sobre Jorge Guillén, así como tres capítulos más de la sección IV, uno sobre Gerardo Diego y Rafael Alberti, otro sobre Vicente Aleixandre y otro sobre Manuel Altolaguirre. El motivo de dichas supresiones quedó ya indicado en las líneas del «Aviso al Lector»: desagrado a opinar por escrito y en público, acerca de la obra de escritores contemporáneos, cuando éstos puedan ser amigos o conocidos.

FEDERICO GARCIA LORCA

(1898?-1936)

PEDRO SALINAS

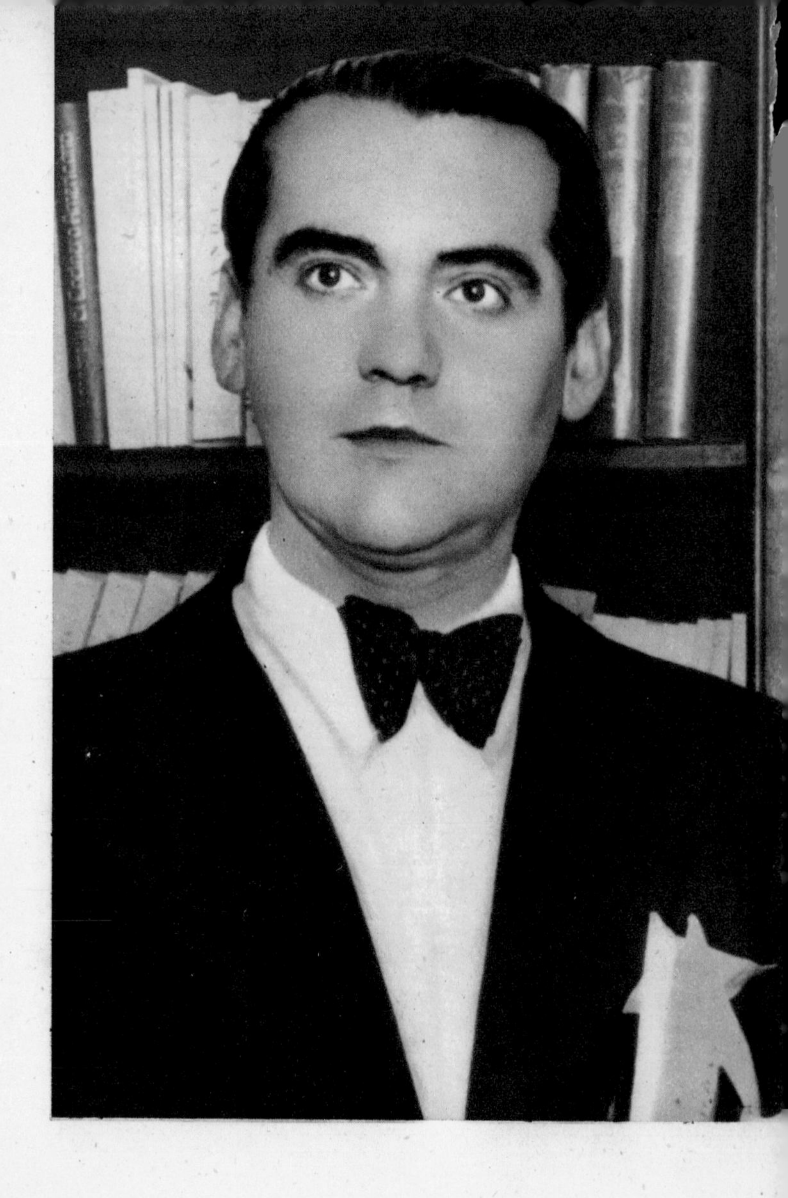

FEDERICO GARCIA LORCA

Es difícil todavía, sobre todo aventurado, intentar acercarse objetivamente a la obra de Lorca, porque ciertos obstáculos acaso impidan apreciar su valor real. Entiéndase que dicha dificultad no proviene tanto de la obra misma, que en sí no es más difícil que la de cualquier otro poeta difícil de su generación, sino por un lado, de las circunstancias en que murió, y por otro, de la significación que esa muerte ha podido prestar a la obra. Cualquier apreciación que de ella se haga ahora, prescindiendo del estado actual de opinión, basado sobre todo en cómo murió el poeta, parecería injusta; pero aceptar sin más dicha opinión va resultando cada día más precario. Sólo dentro de algunos años se sabrá en definitiva el valor real de esa obra; lo que hoy decimos y escribimos acerca de ella se dice y se escribe a beneficio de un inventario todavía distante. Porque la reputación de un poeta no la establecen solamente sus contemporáneos; nuestra historia literaria ofrece algunos casos de poetas admirados en vida (como, por ejemplo, Núñez de Arce) que luego cayeron en desestima total, de la cual no es probable se levanten.

La crítica tiene vida corta, es verdad, y cada generación se reserva el derecho de opinar según su propio criterio. Pero cuando el nombre de un poeta alcanza a llegar dentro y fuera de su país, paradójicamente, hasta las gentes y lugares más ajenos a las obras literarias y a los problemas que conciernen a las mismas, como ha llegado el de Lorca, parece imposible que con el tiempo se le olvide, por mucho que cambien la opinión y el gusto. Lorca es un hecho en la vida contemporánea española y dentro de la misma pasa a nuestra historia. Ahora, ¿pasará como han pasado a ella nuestros poetas románticos, con los que Lorca tiene algún parecido, que son valores históricos, pero no reales? ¿O pasará como nuestros poetas del XVI y XVII, en los que el valor real deja atrás al histórico? Eso es lo que los lectores futuros han de decidir. Hoy, entre tanto, sólo podemos avanzar con desconfianza una opinión que sabemos transitoria.

Es cierto que la obra de Lorca comenzó pronto a encontrar entusiasta acogida entre sus lectores, y podemos recordar años tempranos, hacia 1923, cuando versos manuscritos circulaban entre amigos y conocidos de amigos, despertando la sorpresa consiguiente a un hallazgo poético inesperado. Ya entonces había publicado Lorca dos libros: uno en prosa, *Impresiones y Paisajes* (1918), casi olvidado hoy, y el *Libro de Poemas* (1921), donde aparece algo de los temas y formas expresivas del Lorca futuro, aunque sea obra en la que a un tono nuevo se mezclan residuos del tono modernista que abandonaba a toda prisa nuestra poesía. Verdad que Lorca sólo tardíamente halla un tono único, ya que en la mayoría de sus libros une al tono propio otros diversos: el modernista, el gongorino, el folklórico, el superrealista, a manera de estratos poéticos superpuestos bien distinguibles unos de otros.

Canciones (1927) es el primer libro importante de Lorca, aunque acaso no hubiera tiempo de apreciársele, porque los primeros romances gitanos aparecían ya por entonces en revistas, y al publicarse el año siguiente su *Primer Romancero Gitano* (1928) levantó una ola tal de entusiasmo, alcanzando a gente a quien la poesía no podía interesar mucho, que en cierto modo perjudicó al libro anterior; como perjudicó también al *Poema del Cante Hondo* (1931), que no encuentra editor hasta más tarde, aunque su composición precediera a la del *Romancero Gitano* y a *Canciones,* ni halla apenas resonancia. Hasta resulta hoy difícil de creer, dado el éxito del *Romancero,* que transcurrieran los años sin que los editores ofreciesen al público nuevos versos de Lorca hasta 1935, cuando aparece el *Llanto por Ignacio Sánchez Mejías,* quedando inéditas dos colecciones anteriores: *Poeta en Nueva York* y el *Diván del Tamarit,* que primeramente pensó titular «Tierra y Luna» *, las cuales no vieron la luz, *et pour cause,* sino ya muerto el poeta.

En los versos del *Libro de Poemas* tenemos ejemplo de lo que fué la métrica de transición entre el mo-

* En una edición de obras de Lorca publicada recientemente, en la parte llamada «Otras Páginas», sección de «Varia», figura con el título de «Tierra y Luna» un poema que por su tema y tono pertenece probablemente a *Poeta en Nueva York,* si no es que pertenece al *Diván del Tamarit,* donde (como veremos) hay composiciones que recuerdan las del primer libro indicado. Por su título de «Tierra y Luna», me inclino a creer que debe formar cuerpo con el *Diván del Tamarit,* colección cuyo título primero, como indico arriba, era precisamente *Tierra y Luna.*

dernismo y la poesía entonces llamada nueva, métrica a la que ya nos hemos referido en ocasiones anteriores: el poema «Veleta», del libro citado, puede darnos ejemplo de ella, así como también bastantes composiciones en el *Poema del Cante Hondo*. Luego la métrica de Lorca sigue evolución igual a la de los poetas más jóvenes de su generación: formas clásicas, verso libre superrealista después, para llegar más tarde a un acuerdo entre la métrica del pasado y la nueva.

Una especie de mitología andaluza provee de temas al *Poema del Cante Hondo*. La personificación y dramatización de figuras y asuntos es sobria; sólo unos cuantos versos bastan para presentar el fondo y la acción que constituyen el poema. Así ocurre en «Sorpresa», cuya estrofa final, a semejanza de las coplas, de cante hondo, usa a comienzos de cada verso ese «que» del cual Machado, tan fanático de lo folklórico, usa también alguna vez *. La «Canción del Jinete», aunque incluída en el libro siguiente, *Canciones*, pertenece al mismo ciclo poético. Ambos, «Canción del Jinete» y «Sorpresa», son poemas de acción eludida; en el primero la tragedia ha ocurrido ya, no sabemos cómo, y sólo el escalofrío de algo trágico y el misterio que lo rodea es lo que el poema sugiere; en cambio en el segundo lo trágico no ha ocurrido aún, y su ocurrencia es lo que el poema presagia, hasta que al final, sin transición, presenta como misterio lo sucedido. Algo semejante pudiera repetirse de otras composiciones en el *Poema del Cante Hondo*: «Gráfico de la Petenera»,

* Recuérdese el verso «Que tú me viste hundir mis manos puras», en el poema VII de *Soledades*.

«Sevilla». Cierto que también hay intercaladas en el libro composiciones puramente líricas, que dan vida nueva en nuestro tiempo a la letrilla clásica.

Fué Lorca un poeta dramático al mismo tiempo que lírico, y aunque no hubiera escrito teatro, todavía sería poeta dramático por una parte grande de su poesía. Otra, en cambio, nos presenta a manera de pequeñas pinturas, de miniaturas donde se dibuja el poema; porque Lorca a veces «veía» sus composiciones, pudiendo decirse de él la frase de Gautier tantes veces repetida: «Para mí el mundo visible existe». Claro que no sólo el sentido de la vista, sino todos los cinco intervienen con frecuencia en esta obra tan sensual y tan sentida, en la cual se diría que la inteligencia apenas tiene parte y todo se debe al instinto y a la intuición. Muchas veces parece Lorca un poeta oriental; la riqueza de su visión y el artificio que en no pocas ocasiones hay en ella, lo recamado de la expresión y lo exuberante de la emoción, todo concurre a corroborar ese orientalismo. Orientalismo que acaso también se manifieste en la manera natural de expresar su sensualidad, que es rasgo capital de su poesía. Dicha sensualidad, sin embargo, no es cualidad suya exclusiva, pues dentro de la generación del 25 también debemos tenerla en cuenta al hablar de otros poetas: Aleixandre, por ejemplo. La poesía de Lorca, como la de Aleixandre, me parece a veces consecuencia de un impulso sexual sublimado, doloroso a fuerza de intensidad; y esa sensualidad dominante en ellos, aquel impulso amoroso que determina la existencia de su poesía, se enlaza para ambos con la presencia de la muerte en sus versos.

En *Canciones,* cuyo contenido tiene menos unidad temática, su expresión va acercándose al barroquismo del *Romancero Gitano.* Sin embargo, ahí figuran algunos de esos poemillas de Lorca, como «Es verdad», donde sin folklorismo ni mitología andalucista consigue algunos de sus momentos líricos mejores. Ese libro es feliz, sin los escalofríos ni los presentimientos trágicos que surcan el *Poema del Cante Hondo*; a veces demasiado feliz, asomando cierta vena, pasajera en Lorca pero persistente en Alberti, de bromear y hacer travesuras; actitud, más que de poeta, propia del hijo de familia acomodada que, con las espaldas protegidas por su propio medio burgués, se permite burlarse del mismo, porque sabe que no ha de costarle caro y que además le dará cierto prestigio paradójico de chico listo y simpático. Verdad que el momento favorecía dicha actitud, cuando por todos lados se repetía con inconsciencia que el arte era un juego. («El poeta tratará su propio arte con la punta del pie, como un buen futbolista», decía Ortega y Gasset en *El Tema de Nuestro Tiempo,* revelando ahí no sé qué rabia inconsciente contra la poesía.)

El *Romancero Gitano* desarrolla la tendencia dramática de Lorca, pero ahora lo dramático se combina con lo narrativo. Sin embargo, la acción dramática que es tema de esos romances no está narrada enteramente, acaso porque Lorca huyó de caer en la poesía narrativa, que entre nosotros, a diferencia de lo que ocurre en la poesía de lengua inglesa, no goza de crédito alguno. Así que hay en el *Romancero Gitano* cierta oscuridad procedente de la narración (sin aludir ahora a la de la expresión), de la cual sólo se nos dan momentos aislados, vislumbres de ella, y lo demás tenemos que presumirlo, como en los poemitas y dramas de aquel pobre Maeterlinck, admirado por los estetas del fin de siglo; oscuridad con la cual tanto Lorca como Maeterlinck, ahí su consejero probable, buscaban un efecto de hondura y misterio en *trompe l'œil.* El barroquismo de la expresión, por otra parte, nos hace recordar los poemas narrativos del XVII, aunque en ellos el tema, por ser una fábula mitológica conocida de todos los lectores, era posible seguirlo fácilmente bajo el hallazgo de la expresión nueva que revestía. Lo cual no ocurre en estos romances, donde es imposible presuponer la historia, inventada por el poeta; y, por tanto, puede decirse de ellos que son y no son narrativos, como de su expresión, que es y no es culterana y es y no es folklorista.

La tendencia dramática de Lorca tiene en este libro ocasión amplia de ejercitarse, y ahí asoma uno de los dos defectos principales del *Romancero Gitano,* que es lo teatral, así como el otro es su costumbrismo trasnochado. No cabe duda de que Lorca conocía a su tierra y a su gente, que la sentía y hasta la presentía; por eso es lástima que a ese conocimiento no lo acompañase alguna desconfianza ante ciertos gustos y preferencias del carácter nacional. Es verdad que los defectos de Lorca son los mismos de su tierra, y acaso le era doblemente difícil prevenirse contra ellos. Al decir esto sé que voy contra la opinión general, que llama virtud en Lorca lo mismo que yo llamo defecto; pero qué vamos a hacerle: la experiencia me ha enseñado cómo se forma dicha opinión general y en qué consiste, y no me queda por ella ningún respeto.

Poeta en Nueva York fué el libro siguiente, y conviene reconocer como cualidad rara de Lorca que no le deslumbró el éxito del *Romancero* ni quiso asegurarlo siguiendo el rumbo que le marcaba dicho tipo de verso, docilidad al éxito que sin duda sus lectores esperaban de él; porque luego emprende rumbo bien diferente. En el capítulo que sirve de introducción a esta sección he aludido a los orígenes superrealistas de *Poeta en Nueva York* y no necesito repetirlo ahora. Pero quiero añadir que mucho del sentimiento fatídico que había en la conciencia del poeta sale a la luz ahí. *Poeta en Nueva York* es un grito, en cierto modo profético, de protesta y de rebeldía; protesta a favor de todo aquello que en nuestra sociedad está sometido bajo poderes injustos. Y es curioso que esa consciencia de la injusticia, consciencia a la que ya estaba predispuesto Lorca por motivos personales íntimos, no la expresara sino al ponerse en contacto con un país como Estados Unidos. El horror de la vida norteamericana precipita en su alma de meridional algo que ella llevaba en disolución y ahora ofrece puro. Su simpatía con el negro le lleva a escogerlo como víctima simbólica de otros millones de oprimidos. Y la sección penúltima del libro la titula significativamente «Huída de Nueva York» (el poeta deja Estados Unidos y se va a Cuba), subrayando aún su intención con el subtítulo de la misma: «Dos Valses hacia la Civilización». Acaso en la «Oda a Walt Whitman» esté el corazón mismo del libro, al menos en ella da voz el poeta a un sentimiento que era razón misma de su existencia y de su obra. Por eso puede lamentarse que dicho poema sea tan confuso, a pesar de su fuerza expresiva; pero el autor no quiso advertir que, asumiendo ahí una actitud contradictoria consigo mismo y con sus propias emociones, el poema resultaría contraproducente. Para quien conociese bien a Lorca, el efecto de la «Oda a Walt Whitman» es el de ciertas esculturas inacabadas porque el bloque de mármol encerraba una grieta.

El *Diván del Tamarit,* que supongo anterior o por lo menos contemporáneo del *Llanto,* es obra a la que Lorca quiso darle cierto color oriental (es posible que, entre otros divanes poéticos, hubiese oído del *Westöstlicher Diwan,* de Goethe), estimulado acaso por la fundación de una cátedra de estudios árabes en la Universidad de Granada, Universidad donde él se había graduado. Pero su orientalismo, a pesar del uso un tanto arbitrario de los términos «casida» y «gacela», me resulta menos evidente que en otras obras suyas. El libro lo componen, mitad y mitad, poemas breves un poco reminiscentes de la atmósfera de *Poeta en Nueva York,* y canciones, entre las cuales hay varias muy felices, con esa mezcla de instinto y saber poéticos que era cualidad poderosa en Lorca, como por ejemplo la «Casida del Mercado Matutino». Ese poemita que cito nos da ocasión para aludir a un rasgo curioso en la poesía de Lorca: su frecuente oscuridad y hermetismo, sean involuntarios o deliberados (aunque en ocasiones no cabe duda de que disimula su sinceridad bajo el hermetismo poético en boga); porque frente a la creencia de que Lorca es un poeta «popular», me parece que en su obra hay también bastantes motivos para considerarle como poeta hermético. En una estrofa del poema antes citado ocurren estos versos:

> *¿Qué alfiler de cactus breve*
> *asesina tu cristal?*

En diferentes ocasiones he tratado de averiguar el significado de ellos, y he consultado a amigos que pudieran ayudarme en la averiguación, sin resultado satisfactorio *. Y ese es sólo un ejemplo, entre otros que pudiera citar de oscuridad semejante; aunque, por haber conocido al poeta, no me sea extraño el valor simbólico que para él tenían ciertas palabras y expresiones, clave que me permite descifrar pasajes de su poesía, los cuales de otra manera me resultarían tan impenetrables como el que he citado antes.

En el *Llanto por Ignacio Sánchez Mejías,* aunque el costumbrismo español sea circunstancia del poema, queda relegado en el desarrollo del mismo y olvidado frente a la amplia significación humana y poética de la obra. Recordemos que se trata de un «poema». La palabra ha ido perdiendo su significado original, ya que hoy llamamos poema a cualquier breve composición en verso; y ciertamente tampoco una como ésta hubiera justificado el calificativo en tiempos pasados. Dicha obra de Lorca, como otras de sus compañeros de generación, marca una reacción de los poetas entonces jóvenes contra la fragmentación excesiva, la pérdida del sentido de composición en los versos de las gentes del 98. Hoy no

* A veces se me ha ocurrido dar a dichos versos una significación obscena, que no resultaría rara en Lorca, aunque luego la he desechado.

es raro sentir desvío hacia aquellos poemillas en estado de larva, como son la mayoría de los de J. R. Jiménez (quien precisamente por influencia de los poetas del 25, trata hace algunos años de escribir poemas de cierta extensión, aunque yuxtaponer versos no es componer un poema), a los cuales se habían ido acostumbrando los lectores de poesía en lengua española, aparte de que el egotismo sempiterno de su contenido pueda contribuir además a nuestro desagrado actual. El poema de Lorca, en verdad, no alcanza ciertas proporciones sino dividido en partes, división subrayada aún por el empleo en cada una de metro diferente.

La obra parece mucho más referirse, por adivinación profética de vate, al propio autor, a su temprana y trágica muerte a manos de sus propios compatriotas, que no al individuo vulgar y tosco a quien en apariencia va dirigida. No otro sino Lorca puede ser ya ese «andaluz tan claro, tan rico de aventura» de que nos habla uno de los versos. El poema es una elegía, y acaso la mejor obra que Lorca alcanzó a componer. Sus cualidades extraordinarias de poeta en ninguna otra obra suya parecen desarrolladas tan bien como aquí; la combinación de dotes raciales y personales, el poder expresivo, la intensidad poética, hacen de ésta una obra capital en la poesía española moderna. Ciertas palabras del poema: «Tu apetencia de muerte», me parecen señalar la intención del mismo, porque ahí surge la muerte, muy a la española, con todos los terrores que sin duda tenía para el poeta, como razón y motivo de la obra. La emoción levanta y sostiene la expresión, dejando a un lado cuanta lindeza, prurito efectista y mal gusto malogran a veces la labor de Lorca. Ahí llegaba ya a recoger y encauzar el caudal verdadero de su poesía.

En mayo de 1936 tuve ocasión de oír al poeta decir todos los *Sonetos del Amor Oscuro* que por entonces acababa de componer. Es difícil decidir acerca de una obra que sólo recordamos por una audición, y mucho más tratándose de Lorca, porque una cosa eran sus versos leídos en voz alta por él y otra su lectura silenciosa por uno mismo. Tres de esos sonetos: «El poeta pide a su amor que le escriba», «Tengo miedo a perder la maravilla» y «A Mercedes en su Vuelo» *, más acaso un cuarto: «Yo sé que mi perfil será tranquilo», han hallado camino hasta la colección de obras completas del poeta, aunque sin indicación respecto a la serie a que pertenecen. Si comparamos dichos sonetos con otros escritos en época anterior (reunidos todos como están, con poco discernimiento, por los editores de las obras del poeta), me parece advertir en los últimamente escritos diferencia y ventaja. Como ya resultaba evidente en el *Llanto,* estos versos finales denotan menos rebuscamiento en la expresión y ausencia de imágenes voluntarias, y, por tanto, su emoción brota más clara. Podemos deducir que Lorca dejó bastante por decir, y acaso lo mejor. Mas puesto que su destino no se lo permitió decir, contentémonos con esto que le permitió. Que no es poco.

* Sin embargo, el soneto «A Mercedes en su Vuelo» no pertenecía propiamente a la serie; fué escrito con ocasión de la muerte de una muchacha, hija de cierta señora conocida de Lorca, y añadido a los demás, con los que no formaba cuerpo.

V

CONTINUIDAD HASTA EL PRESENTE

CONSIDERACIONES PROVISIONALES

En 1936, al empezar la guerra civil, coexistían en nuestras letras tres generaciones poéticas: la vieja del 98, vivos aún los poetas principales, con su obra acabada; la del 25, cuyos componentes llegaban a ese momento difícil, del que pocos poetas se recuperan, cuando entrados en la edad madura deben acomodar su sensibilidad e inteligencia según una percepción diferente de la realidad, y una tercera que, sin tiempo aún para afirmarse, había comenzado a surgir poco antes de la fecha arriba indicada. Esta generación última, a la cual, que yo sepa, no se ha dado denominación, estaba compuesta por Miguel Hernández, Luis Rosales, Leopoldo Panero, José A. Muñoz Rojas, Germán Bleiberg, Luis F. Vivanco y algún otro.

Los poetas del 98, como vimos a su tiempo, partiendo de Bécquer, habían creado nuestra poesía moderna. Los del 25, continuando la obra del 98, sintieron más que ellos y reivindicaron frente a ellos (que fueron partidarios de los primitivos) la hermosura de nuestra poesía clásica, y al mismo tiempo tuvieron concienca de las posibilidades que su época sugería al artista; dos aportaciones podemos al menos dejar a su cuenta: el verso libre y una expresión poética nueva. En cuanto a la generación tercera, estando demasiado cercana de la segunda en el tiempo, no parece que su novedad pudiera cambiar bruscamente el curso de nuestra poesía, tal como ésta quedó después de la transformación iniciada por los del 25. Más tímidos quizá que ellos, estos otros insisten, unos, los más, en el aspecto formalista que ya observamos, si no en todos, en algunos de los poetas del 25; otros, los menos, utilizan el verso libre tal como lo creara la generación anterior. Tampoco la expresión poética experimenta con ellos variación sensible.

Pero en cuanto a la posición que frente a la sociedad tomaba este grupo tercero sí supone un cambio, porque dicha posición era más bien de tendencia conservadora, salvando alguna excepción importante que luego diremos, mientras que en los del 25 había sido de tendencia liberal, también con alguna excepción. Eso explicaría literalmente lo estático del grupo tercero: desde el punto de vista técnico, pocas novedades llegan con él a nuestra lírica; es verdad que hay momentos fecundos de un período literario, caracterizados por explorar y utilizar las posibilidades a que pueden dar lugar ciertas novedades introducidas en otro momento anterior.

Me parece que la mutación representada por esta generación es más bien de temas que de técnica; ya indiqué antes la orientación diferente de su posición frente a la sociedad; quiero indicar ahora otra diferencia importante, que no sabría si llamar antecedente o consecuencia de la orientación tomada por ellos, y es el fervor religioso. El escepticismo de los del 25, que en algunos llega a veces hasta la blasfemia, contrasta en cambio con la religiosidad de la generación siguiente. Esa y otras causas fueron probablemente las que permitieron a estos poetas apreciar la admirable poesía de Unamuno, hasta ellos no bien apreciada; Unamuno y también Machado han sido sus inspiradores. La labor de la generación queda en cierto modo vinculada a la revista *Escorial,* la más importante de las publicadas después de la guerra civil. Resumiendo: la generación tercera, acaso más que una novedad, represente una variación con respecto a las dos anteriores.

El poeta más importante del grupo se dice que es Miguel Hernández, por las mismas razones que de Lorca se dice también que es el poeta más importante del 25; y Hernández es también la excepción a aquella tendencia conservadora del grupo que antes mencionamos. Las circunstancias que acompañaron su muerte prematura, aunque no idénticas a las de Lorca, y al mismo tiempo la importancia de su obra, han ayudado quizá al entusiasmo en la estimación de la misma; lo cual, cosa que también dijimos al hablar de Lorca, puede dificultar todavía su apreciación objetiva. Como ejemplo de confusión recordaré cierta elogiosa nota informativa inglesa acerca de la persona y la obra de Hernández, donde se decía que «era un pastor (creo que le declaraban analfabeto, para aumentar así su valor exótico), quien al comienzo de la guerra civil abandonó su ganado y tomó un fusil, comenzando al mismo tiempo a componer baladas populares».

Claro que ahí no tenemos sino reflejo inconsciente del incurable esteticismo romántico de que sufre la gente anglosajona *, la cual, llena de antipatía hacia el sur, se siente al mismo tiempo y a pesar suyo atraída por él, ya que allí abunda todo lo que humana y estéticamente le falta; sin comprender cómo no menos estéticamente romántico que el pastor analfabeto de Andalucía o de Sicilia, medio vestido en sus andrajos, es el empleado de la City, bajo su severo atavío bancario, bebiendo cerveza en una taberna dickensiana. El color local y el exotismo son reversibles, y si pueden operar de norte a sur, también pueden operar de sur a norte.

Miguel Hernández pertenecía a una familia humilde campesina, fuera o no pastor en su niñez y adolescencia (creo que sí lo fué); pero su folklorismo latente, como ocurre con frecuencia entre nosotros, llevaba y aliaba consigo una tendencia barroca, nutriendo ese instinto con la lectura de los poetas del XVII, lectura que debió hacer o rehacer, según parece, para ayudar a José M. de Cossío en la preparación de la obra *Los Toros en la Poesía Española*. Dos amistades e influencias, la de Aleixandre y la de Neruda, actúan sobre él, contrarrestando el folklorismo y barroquismo básicos y dando a su verso mayor libertad. A Lorca también debió algo, en visión y en emoción, y a los poetas del XVII (más que a los del XVI o a los primitivos), como indiqué, cuyas formas poéticas usa de preferencia, con giros y expresiones aprendidas en ellas. Véase, por ejemplo, lo quevedesco de la metáfora,

* La plaga de la literatura inglesa es el esteticismo, como de la francesa el academicismo, de la española el barroquismo y de la alemana la pedantería.

según la cual su existencia le aparece, en el poema «Sino Sangriento», como edificio que se levanta y se derrumba «sobre andamios de hueso».

Al hablar de Rueda indicamos que Hernández era un poeta del mismo tipo; ahora añadiremos, para no parecer injustos con el segundo, que la pasión, con el tiempo desvanecida en gran parte de los versos de Rueda, está bien viva hoy en los de Hernández, y ella es todo o casi todo en su poesía. La pasión avasalla sus versos, los inflama y contagia al lector, haciéndole olvidar o disculpar los defectos; porque su juventud truncada, dolida y entusiasta, añade ahí algo humano al valor poético, situándolo en claroscuro dramático, al menos para nosotros, que fuimos contemporáneos del autor. El mismo, en la composición que antes cité, titulada «Sino Sangriento», nos dice que vino al mundo

Bajo el designio de una estrella airada
y en una turbulenta mala luna.

Añadiendo cómo:

lo que vi primero era una herida
y una desgracia era.

En un verso significante que corroboran las circunstancias en que nació y murió, escribe que le nutrieron con *zumo de espada loca y homicida.*

Como Unamuno, León Felipe y Moreno Villa, es poeta que desdeña el «artificio», aunque el sentimiento, que en Unamuno se fundía con el pensamiento, en él vaya solo. Sentimiento vemos nada más en los versos últimos que escribió, cuando estaba preso y sin esperanzas de libertad, tanto por la condena que pesaba sobre él como por la enfermedad que le iba rindiendo; los cuales versos no es posible leer sin emoción, provocada tanto por lo que expresan como, según dijimos antes, por la relación que de ellos hacemos con la persona del poeta. Así ocurre en las composiciones «El Cementerio» o la «Nana a mi Niño», en las que al leer unos versos como estos:

> *En la cuna del hambre*
> *mi niño estaba*

o estos otros:

> *Tu risa me hace libre,*
> *me pone alas,*
> *soledades me quita,*
> *cárcel me arranca*

la simpatía humana que despiertan se antepone quizá a la consideración del valor poético.

De todos modos había en Hernández, y hasta en exceso, todos los dones primarios que indican al poeta; le faltaban los que constituyen el artista, y no creemos que, de haber vivido, los hubiese adquirido. Porque era un tipo de poeta que suele darse en España: fogoso y de retórica pronta, el cual, en el entusiasmo inspirado que lo posee, concierta de instinto ambas cualidades, fogosidad y retórica, hallando así el camino franco hacia su auditorio, tan entusiasta como él. Zorrilla, Rueda, Villaespesa, y acaso Lorca, cada uno de manera distinta, fueron poetas del tipo indicado; y el último en esa línea Miguel Hernández. No sería difícil hallar en nuestra poesía primitiva clásica bastantes antepasados del tipo, porque es producto castizo español; el extremo contrario lo representaría en nuestra lírica un Garcilaso, que es sobre todo artista consumado antes que poeta inspirado *.

Llegamos a lo que hoy puede justamente llamarse la poesía joven española, que es la aparecida durante los quince años últimos y de la cual yo sólo quisiera indicar algunas generalidades, por ser todavía materia maleable, sujeta a mutaciones que dejen atrás cualquier opinión prematura sobre autores y tendencias. Suele además, al comienzo de una generación literaria, formarse cierto juicio arrogante acerca de quiénes son sus componentes de más valor, juicio que el tiempo luego desmiente; en 1930 se decía que Alberti era el poeta mejor de su generación; en 1903 creo que se decía lo mismo de Villaespesa respecto a la suya. Tratemos de no caer en error equivalente; demos tiempo al tiempo, reservando nuestra opinión, que aún no dispone ahí de elementos bastantes para pronunciarse.

Durante los años de la guerra civil hubo excesivo acopio de versos, tanto de un lado como de otro; y aunque la consigna fuera «cantar al pueblo», de un lado, y de otro «cantar la causa», ni unos cantos ni otros, productos de ambas consignas (era inevitable), sobrevivie-

* Miguel Hernández (1912-1942). Obras. *Perito en Lunas* (1932); *El Rayo que no cesa* (1936); *Viento del Pueblo* (1938); *Obra escogida. Poesía. Teatro* (Madrid, 1955).

ron al conflicto. La destrucción y la muerte, sea bajo tal o cual pretexto, no se pueden cantar ni mucho menos glorificar; quienes por ellas han tenido que pasar, y sobrevivieron a la catástrofe, acaso puedan utilizarlas más tarde, como experiencias humanas; pero en otro contexto, donde sería ya difícil reconocerlas bajo su apariencia bestial primera. Lo mismo ocurrió en los países en lucha durante la segunda guerra mundial, cuando periódicos, revistas y editoriales reservaban espacio y lugar honorables para los versos de numerosos poetas: la poesía se pone de moda con la guerra. ¿Por qué? ¿Será porque el estado de embriaguez colectiva que produce la guerra (abdicación de toda responsabilidad personal y anonadamiento en la masa) quiere hallar correspondencia en la embriaguez divina supuesta en el poeta?

Mas si la abundancia de poetas cedió en otros países con la paz, en España no ocurrió lo mismo: grupo tras grupo de poetas, ya no es posible hablar de generaciones, se han ido sucediendo después de 1939. ¿Es ésa señal de vitalidad? Quienes desde fuera se enfrentan hoy con la vida literaria española es de suponer que, aparte de la labor poética dominante, reciban una impresión desoladora: varias escasas obras, teatro, novela, crítica, acogidas con elogios que enrojecerían a un Homero o a un Dante si a ellos fueran dirigidos y pudieran oírlos. Conviene precisar que dicha esterilidad viene de atrás; ya en la generación de 1925 podía observarse, aparte también de la poesía dominante, la pobreza de los otros géneros. Dicha esterilidad se acentúa hoy de manera alarmante: la producción «literaria» actual en España, unas docenas de libros del género científico-pedantesco y otras de malas traducciones, ¿continúa dignamente la gran tradición que tiene detrás?

La abundancia de revistas poéticas, publicadas en cada capital de provincia y hasta en cada cabeza de partido, cosa que ya ocurría antes de la guerra, aunque no de manera tan marcada, ¿sería signo de buena salud literaria? Es cierto que dichas revistas pueden ayudar a la aparición del poeta; pero también es cierto que el valor de un poeta no parece fácilmente ni prontamente apreciado por sus contemporáneos y, por lo tanto, acaso a quienes antes ayude la existencia de tantas revistas es a los polizontes literarios, que son los más en el mundo, entrometiendo sus versitos por todos lados.

Tratar de enumerar aquí dichas revistas, con sus correspondientes colecciones de libros poéticos, sería excesivo, dado el número, así como también que el interés ofrecido por las mismas es desigual de unas a otras. Sí debe mencionarse en esta coyuntura la colección «Adonais», de pequeños volúmenes de verso, fundada y dirigida por Juan Guerrero en 1943, con José Luis Cano como secretario (poeta él mismo y acaso el crítico más generosamente intencionado con que la poesía española cuenta hoy), que luego pasó a ser director de la misma. En la colección alternan los nombres de aquellos poetas del 25 que viven en España, o sea, Diego y Aleixandre, con los de la generación siguiente, a quienes ya aludimos, y sobre todo, y este es el rasgo más importante de «Adonais», con los de poetas nuevos, muchos de los cuales ha descubierto y dado a conocer.

¿Qué novedad aportan todos esos recientes grupos de poetas? Es difícil apreciarla a distancia, aunque, por otra parte, la distancia tenga una ventaja: amortiguar la necesidad de ciertas valoraciones prematuras. Parece subsitir, en principio, la división entre poetas formalistas, de un lado, y de otro los partidarios del verso libre. En cuanto expresión poética se diría haber ocurrido un retorno gradual hacia la sencillez del lenguaje hablado y el todo directo, alejándose así la poesía joven de aquella sutileza hermética frecuente durante la etapa 1920-1930 de nuestro verso. Alguna parte de esta poesía joven halla su ascendencia en Aleixandre; otra parte mayor la halla en Machado, poeta al que, durante la etapa antes indicada, se postergó injustamente a favor de Jiménez. No son raras las composiciones con temas religiosos, así como tampoco las inspiradas en temas familiares; lo cual tal vez indicase continuidad, al menos en algunos de estos poetas nuevos, de la corriente que representan Rosales, Muñoz Rojas, Vivanco y Panero.

También parecen perceptibles entre algunos de dichos poetas, aunque esto sea ocurrencia reciente, ciertas voces de descontento. No pretendo que dicho tipo de poesía valga literariamente más que los otros cultivados hoy por los jóvenes; pero sí indicar su existencia probable, ya que, como dijimos al comienzo de este libro, el poeta es el hombre que en contacto más íntimo se halla con la vida, y en él resuena antes el eco primero de las alteraciones que sufre la sociedad.

Aquí y allá, entre la indiferencia que como de costumbre rodea al ambiente literario español, con el silencio y la oscuridad favorable a su desarrollo primero, se van formando lentamente los poetas que han de continuar nuestra gran tradición lírica. Como a medida que la vida se reduce ante nuestro paso, pensamos más en quienes vienen tras de nosotros, en los poetas jóvenes españoles pienso a veces, y les he recordado no pocas durante la composición de estas páginas. Prefiero no escoger entre ellos algunos nombres para mencionarlos aquí como los de los poetas «mejores», ni menos todavía repetir ahora los nombres de aquellos estimados en España como «mejores»; creo que la posibilidad de ser los mejores pertenece aún por igual a casi todos ellos. Si respecto al pasado nuestra opinión puede ser cierta, y respecto al presente puede tener vislumbres de certeza, respecto al futuro apenas podemos opinar, porque escapa a nuestro destino, y aunque formado en parte por nosotros, ya no nos pertenece: «Las palabras del año pasado pertenecen al lenguaje del año pasado, y las palabras del año venidero esperan otra voz».

No olvido lo que escribió Goethe a Schiller, con ocasión de la visita que por encargo de éste le hizo un poeta joven: «Su aspecto tiene algo de borroso y enfermizo, pero es verdaderamente simpático, y se franqueó con pudor y hasta timidez. Trató de temas diversos que delataban vuestra influencia, y ha sabido apropiarse perfectamente número no escaso de ideas primordiales, lo que indica cómo sería igualmente capaz de asimilarse otras. Le aconsejé que compusiera sobre todo poemas cortos, cuidando de escoger para cada uno de ellos un motivo que ofreciese interés humano. Me parece que se inclina a la Edad Media *, y confieso que no pude animarle en dicho as-

* Por «edad media» supongo que Goethe sobreentiende ahí lo «gótico», lo «romántico».

pecto.» ¿Sabe el lector quién era ese joven? Hölderlin; tenía éste entonces veintisiete años. Y si nada menos que un Goethe pudo ser ciego ante el destino de un Hölderlin, aprendamos ahí prudencia, que nunca está de más en el crítico.

INDICE

II.—GENERACION DE 1898

III.—TRANSICION

IV.—GENERACION DE 1925

V.—CONTINUIDAD HASTA EL PRESENTE

OTRAS OBRAS DE LUIS CERNUDA

VERSO

Perfil del Aire, Suplementos de «Litoral», Málaga, 1927.
Donde habite el Olvido, Editorial Signo, Madrid, 1935.
El Joven Marino, Colección Héroe, Madrid, 1936.
La Realidad y el Deseo, «Cruz y Raya», Madrid, 1936. Segunda edición aumentada, Editorial Séneca, México, 1940.
Las Nubes, Colección «Rama de Oro», Buenos Aires, 1943.
Como quien espera el Alba, Editorial Losada, Buenos Aires, 1943.

PROSA

Ocnos, «The Dolphin», Londres, 1942. Segunda edición aumentada. Colección «Insula», Madrid, 1949.
Tres Narraciones, Ediciones Imán, Buenos Aires, 1948.
Variaciones sobre Tema Mexicano, Colección «México y lo Mexicano», Porrua y Obregón, S. A., México, 1952.

TRADUCCIONES

Hölderlin, *Poemas,* Editorial Séneca, México, 1942.
Shakespeare, *Troilo y Crésida,* Colección «Insula», Madrid, 1953.

COLECCION GUADARRAMA
DE CRITICA Y ENSAYO